JN086440

蘇る短歌

大好きなうた、ちょっと苦手なうた

坂井修一

本阿弥書店

蘇る短歌＊目次

装幀・片岡忠彦

蘇る短歌

——大好きなうた、ちょっと苦手なうた

坂井修一

第一回　黄涙

肉親の死、失恋、仕事や試験の失敗、競争での敗北や破産——私たちの短い人生は、悲しみや苦しみで満杯だ。だけど、職場や通勤電車の中で声をあげて泣くわけにはいかない。たいせつな家族の前で絶望のため息をつくわけにもいかない。

気が滅入ると私は、（誰でもそうするように）昼休みにあたりを散歩して回る。大講堂の前を通って三四郎池。弓道場の横を抜けて医学部本館。くだって大学病院。鉄門から出て、無縁坂。不忍池。上野の森。

森鷗外、夏目漱石、斎藤茂吉、木下杢太郎——彼らはどんな思いでこのあたりをうろついたのだろう。文京区立森鷗外記念館の展示によると、鷗外はずいぶんと長い道のりを歩き回っている。本郷、上野、谷中、日暮里、小石川などは、ほんの序の口だったようだ。日記を見ればわかるが、茂吉や杢太郎もそうらしい。彼らは道々、自分の手に余る憤怒や激情をどうやって御していけばよいか、つくづくと考えたに違いない。

斎藤茂吉の若い頃には、東大病院には精神科がなかった。東京府巣鴨病院が臨床の場であり、恩師の呉秀三が、東大教授とここの院長を兼ねていた。そして、大学を出た茂吉が最初に赴任したのがこの巣鴨病院であった。

『赤光』に「黄涙餘録」の副題をもつ「葬り火」「冬來」「柿乃村人へ」の三部作がある(合計四十四首)。これは巣鴨病院勤務時代のものだが、舞台は養父紀一の経営する青山脳病院のほうだ。最初の「葬り火」冒頭には、次のような歌が並んでいる。

あらはなる棺《ひつぎ》はひとつかつがれて穩田ばしを今わたりたり
自殺せし狂者《きやうじや》の棺《くわん》のうしろより眩暈《めまひ》して行けり道に入日《いりひ》あかく
陸橋にさしかかるとき兵《へい》來れば棺《ひつぎ》はしまし地《つち》に置かれぬ
泣きながすわれの涙《なみだ》の黄《き》なりとも人に知らゆな悲しきなれば

初版『赤光』から引用した。

時は明治四十五年。青山脳病院で、知人に頼まれた精神病の入院患者が亡くなった。その遺体を焼き場に運ぶ葬列に茂吉も加わったのである。

遺体を入れる棺は、これを包む布もなく、（後の歌からわかるが）杉でできた粗末なものだった。人々は、これをかついで、徒歩で青山脳病院から代々木八幡の火葬場に向かったのである。

穏田橋は、原宿駅の東側にあった橋。昔はここに穏田川が流れていたが、昭和の東京オリンピックのさいに暗渠とされた。今は川も橋もない。茂吉を含む一行は、青山、表参道、原宿、代々木と棺とともに歩いた。今でいえば、地下鉄千代田線の乃木坂付近から、代々木公園あたりまで、約四キロメートルの距離だ。陸橋なども渡り、兵隊が通るのを待ったりしているから、運ぶのに二時間ぐらいはかかったのではないかと思う。

葬列の茂吉の心は、患者の自殺に動揺し、命のあわれを思い続けて燃え立ってもいる。焼き場で遺体が骨となったのを見届けて後、青山の住居には帰らず、巣鴨病院にも行かず、上野動物園を訪れた（と読める）。焼き場から動物園までは十キロメートル以上ある。集中、「ひたいそぎ動物園にわれは來《き》たり人のいのちをおそれて來《き》たり」とあるが、これは電車での移動だろう。この頃には山手線が（環状にはなっていないが）できているし、市電（路面電車）もあったようだ。

さて、この「黄涙餘録」、文芸としての傑作は、連作の後半部、火葬場の場面から後に集中している。

自殺せる狂者《きやうじや》をあかき火に葬《はふ》りにんげんの世に戦《をのの》きにけり
けだものは食《たべ》もの戀ひて啼き居たり何《なに》といふやさしさぞこれは
わが目より涙ながれて居たりけり鶴《つる》のあたまは悲しきものを
おのが身はいとほしければ赤棟蛇も潜みたるなり土の中《なか》ふかく
かの岡に瘋癲院のたちたるは邪宗來《じやしゆうらい》より悲しかるらむ

これらの歌は、近代短歌の中でも突出したものと思う。茂吉らしい激情が、茂吉らしい色彩とともに刻印されており、ひとつひとつが大柄で大胆だ。特に、一首目、二首目と最後の作品がすばらしい――これらに較べると、先にあげた連作冒頭の五首は、イントロ的な役割に過ぎないのではないか。

しかし、はたしてそういう評価で良いのだろうか。

陸橋にさしかかるとき兵《へい》來れば棺《ひつぎ》はしまし地《つち》に置かれぬ

ずっと昔、今から四十年ほど前、私がまだ歌をはじめて間もない二十代の頃、この歌について岩田正先生と話したことがあった。

坂井：景としてはよくわかるし、抑え気味の下句の中に情感が込められていて優れた一首と思いますが、一連はもっと魅力的な作品がたくさんあります。「黄涙餘録」全体の中ではいささか地味ではないですか？

岩田：そうかもしれない。でも、君ね。直前の歌で、「眩暈《めまひ》して行けり」と表現した茂吉自身が、ここではずいぶん冷静になっている感じがしないかね。

坂井：たしかに。だから、この歌は「山有り、谷有り」の「谷」のほうだと思います。

岩田：この「兵」たちは、葬列を止め、たいせつな棺を地べたの上に置かせている。茂吉は、表だっては言わなかったが、そうした軍人たちのいかにもなふるまいに、嫌なものを感じていたのではなかっただろうか。

坂井：はい。人間の感情は、折に触れて多面的な動きをするもので、ここでは我にかえってこうした事象をつくづくと見つめて物思う作者が表現されているかもしれません。

だいたいがこんな感じのやりとりだったと思う。

この話は、これ以上は進展しなかった。岩田先生は、左翼的なところにバックボーンがある（と当時の私は思っていた）から、「陸橋に」のように、兵のふるまいに違和感を覚える茂吉が見えると、きっと嬉しくなるのだろう――二十代の私はそんな小生意気なことを漠と思って、どこか敬遠するような気持ちになったのかもしれない。そして、「黄涙餘録」の中では、「けだものは」「邪宗來」などを〈大好きな歌〉として記憶し、この歌は〈ちょっと苦手な歌〉として、アタマの隅のほうにうっちゃってしまっていた。

二〇一七年晩秋に岩田先生が亡くなったときも、この歌についてのやりとりを思い出すことはなかった。できごとは他にたくさんあり、その中には、このときのお話よりも、ずっと印象深いものがいくつもあったからだ。

不忍池のまわりを散策しているうち、とつぜん「陸橋に」の歌が浮かび、岩田先生とのやりとりを思い出した。と、三十五年前に較べて、「陸橋に」が私の中でいくぶん重く大きくなっているのがわかった。もうこの歌は、〈ちょっと苦手な歌〉などではなかった。二十代の頃とは違う存在感をもって、心の側面に張りついてきている。そんな気がした。「陸橋に」の歌と同じ光景を目にすることは、今の日本ではまずないだろう。しかし、少し視野を広げてみれば、同じようなことは、この二十一世紀のわれわれの生活でも繰り返されているのではないか。この社会の悪習や偏狭な価値観がもたらす理不尽は、私たちの人生の時々刻々を苛み、その結果、私たちの心は土の上におかれた粗末な棺のように痛んでいるのではないか。それは、人の生き死にそのものと較べると些細なことかもしれないが、社会と人間の暗い関わりを示すものとして、私たちの心に降りたまり、言葉にならない苦痛を与え続けているのではないだろうか。

＊

読み慣れた『赤光』の作品でも、こんなふうにあらためて違う顔をさらすことがある。ひとわたり解釈鑑賞を終え、作品や歌人を理解した気になって安心していると、しばらく後で突然がつんとやられたり、別の角度からじんわりと侵入してこられたりする。

この本では、すぐれた短歌作品を読むことがどういう体験であるのか、毎回具体例をあげながら、読者の皆さんとともに幅広く多角的に考えてみたい。一筋縄でいく話ではないが、さまざまな試行錯誤の中で、言葉の背後で動いている精神の光や影を、皆さんと共有できるのではないかと期待している。

第二回　たましひ見ゆ

若者と話すのは楽しい。若い人の短歌を読むのはもっと――というわけで、「歌壇」二〇一八年三月号、川野芽生「ラピスラズリ」三十首を読む。

Lapis-lazuli みがけりからだ削ぎゆけばたましひ見ゆ、と信じたき夜半

Lapis-lazuli（ラピスラズリ）は和名が瑠璃。深い青色の宝石だ。夜中に瑠璃を磨くうち、ふと思う。こんなふうに人の体を磨き削ってゆくと何が見えるのだろうか。やがては魂まで見えるものか。澄み果てるような冴え冴えとした気分の中で、そんなことまで信じてみたくなる。

この歌、二句の途中で切って思いを飛躍させ、四句の終わり近くの読点で切って、今度は現実に揺り戻す。ちょっと凝った作りなのだ。

しかし、この歌、このままで成功していると言えるだろうか。

＊

「Lapis-lazuli」の一首を読んで、私は、次の作品を思い出した。

いづくより生れ降る雪運河ゆきわれらに薄きたましひの鞘　『紡錘』山中智恵子

二首の歌を並べて、つくづくと眺めてみる——似ているような、違うような——こんな作業は楽しい。

様式美においても、主題においても、山中の歌は川野のそれを圧倒する。これは誰が見てもそうだろう。川野作は構想においてすばらしいが、歌としては幼稚と言わざるをえない。山中の「われらに薄きたましひの鞘」は、何度舌の上でころがしても、ほれぼれするほど美しい詩句だ。川野の「たましひ見ゆ、と信じたき夜半」は、若さの本音が出てしまって詩美を損ねた下句と言われてもしかたない。

あるいはもっと厳しく、川野作品を才気溢れる文学少女の言葉遊びとして斥ける読者もいるかもしれない。たしかに傷のある一首であり、川野が一連の題とした意図に反して、この歌が高い評価を得ることはないだろうと私も思う。ただ、私の中で何かひっかかるものがある。もうちょっと、思いをめぐらしてみることにしよう。

針と針すれちがふとき幽《かす》かなるためらひありて時計のたましひ

『びあんか』水原紫苑

今度は、こんな歌を思い出す。川野作とも、山中作とも似ている。これも「たましひ」。あれも「たましひ」。

水原の時計の歌には、山中の「鞘」ほどの鋭さはない。心の奥底をさまよっている間に出会った命のしずくのようなものが、ぽとり、と音を立てているような作品だ。これはこれで、完璧に近い詩美をたたえている。

少々飛躍をこめて言えば、こうした「たましひ」は、たしかに山中から水原へと系譜としてつながっているように思われる。それも師承というようなつながりではなく、美的精神のありようとして。

川野の歌はどうか――私は、やはりこの山中から水原の流れの先に川野の作品を置いて考えてみたいのである。現代短歌の本流ではないが、われわれにとって大切な、それこそラピスラズリのように輝く流れの先に。

馬手と云へり　いかなる馬も御さずしてさきの世もをみななりしわが馬手

「Lilith」「歌壇」平30・2　川野芽生

つきかげが月のからだを離るる夜にましろくひとを憎みおほせつ
陸《くが》といふくらき瘡蓋の上《へ》を渡り傷を見に来ぬ海とふ傷を

「ラピスラズリ」「歌壇」平30・3　川野芽生

ひとの身につかのま碇下ろしゐる魂よわが湖底痛めり

前二首は「歌壇賞」受賞作から。後の二首は先の「Lapis-lazuli」と同じ一連から。ともに三十首掲載されているうちの冒頭と掉尾の歌だ。

身体と心を世界に投影する。あるいは世界を身体に投影する。双方向のプロジェクションマッピングのような作品たち。中身のわりに格好つけすぎの感はあるが、それでも言葉の花が咲いているのは確か。

これだけの技術をもっている川野だが、さきの「Lapis-lazuli」の歌の下句「たましひ見ゆ、と信じたき夜半」は、いかにも拙い。フィギュアスケートで金メダルをとったザギトワが、急に普段着になってひとりごとをつぶやく。そんなふうな、いきなり感がある。

それでもおそらく、この傷のある下句こそが、作者の言いたかったことなのだろう。山中智恵子から水原紫苑への流れの先に立ちながら、「いえ、私はまだこんなモノなのです」と本音をさらす。このナマな露出は、歌の完成度を大きく損なうのだけれど、むしろこの未熟な態度のほうに、川野のモチーフがあるのかもしれない。

そうだな。でもね。「Lapis-lazuli」にそんな意図があったとしても、私はこの歌に賛同できない。川野の中では、次のような作品に軍配をあげたいのだ。

怯えやすい小動物に似た街に指で圧すごと日没が来る　「Lilith」「歌壇」平30・2
にんげんに美貌あること哀しめよ顔もつ者は顔伏する世に
「ラピスラズリ」「歌壇」平30・3

あるいはこれらは作者にとって、間奏あるいは地歌と思われているかもしれない。平凡な表現に過ぎないと。

私はそうは思わない。

一首目の「指で圧すごと」はたしかに平凡かもしれないが、この歌全体の中では静かに重い輝きを放ってはいないか。二首目は上句も下句もよくある言い回しだが、全体に自然で人間味のこもったニュアンスを醸してはいないだろうか。

歌人は、特殊な言葉で特殊な思いを語るよりも、平凡な言葉で誰もが語れなかった思いを代弁することのほうが、ずっと大きなことなのだ。

一首目は、ハラスメントの被害者を主人公とした連作に置かれているが、もう少し広い普遍性をもって読むことができるとも思う。最近、私は次のようにつぶやいた。

歌壇賞の一連は、こなれない歌も多く、玉石混淆だったが、この一首などはとても良いと思う。ヴィットリオ・デ・シーカの『フィンツィ・コンティーニ家の庭』を思い出した。

（平30・1・27　坂井ツイッター）

『フィンツィ・コンティーニ家の庭』では、ユダヤの富豪一家がいつのまにかファシストに迫害される立場に落ちてゆく。ラストシーンで連行される美しい娘の姿が、私の中で、この歌に重なってきたのだった。

二首目。「顔もつ者は顔伏する世」。作者が意識しなくても、これは、貴種流離のような伝統を曳く言葉のように読める。あるいは、この気持ちは、次のような歌に遡行して、さらに反転して帰ってくるのかもしれない。

水の上のわがすがたむしろ美しく貪りしことの杳き夕ぐれ　『空間格子』山中智恵子

＊

川野芽生、睦月都、小佐野彈。これら新人賞作家たちを思うとき、私は、これまでになかった期待と不安が湧き起こるのを感じる。

殺害をもう怖れずに済むといふ昧爽のマリン・スノウなるかな
「ラピスラズリ」「歌壇」平30・3　川野芽生

パーティーにわれらはわらふ誰とゐても貿易風のやうに笑へる

どれほどの量の酸素に包まれて眠るふたりか　無垢な日本で

「十七月の娘たち」「短歌」平29・11　睦月　都

「無垢な日本で」「短歌研究」平29・9　小佐野　彈

二十一世紀の世界には、かつてなかった種類の理不尽が満ちている。これらの作品には、そんな理不尽を受け容れきった若者たちの澄明な眼があり、その内側には「世界など何ほどのものでもない」という強靱な拒否の気持ちが育まれているようだ。

塚本邦雄、山中智恵子、河野裕子、水原紫苑、米川千嘉子、大滝和子。もっと若い光森裕樹や野口あや子。こうした先達の作風を学びながら、彼らとは違う、アナーキーでニヒルで、どこか甘やかな言葉たち。今、この恐ろしい世界で静かに息をしながら、彼らは本物の言葉を手にしようと、痛々しくも大胆な歩みを始めたようだ。

第三回　世界の奥につながる「て」

世の中はビッグデータの時代に入ったと言われる。ネット機器大手のシスコ社の予測によると、二〇一八年に世界を飛び交うデータは、ひと月あたり一三二エクサバイト（132×10^{18}バイト）。単純計算でこれを一分あたりに直すと、約三ペタバイト（3×10^{15}バイト）となる。

今、私たちの世界では、三の次にゼロが十五個つく量のデータが、一分間でやりとりされている。一首の短歌がだいたい五〇バイト程度の情報量だから、六〇兆首分の情報が毎分毎分ネットを飛び交っていることになる。

そんな中、一冊の歌集、一首の短歌にこだわって時間を過ごすのは、ある意味ですごいことだ。よそ人からは奇怪に見えるにちがいない。電車の中で、スマホの画面をサッサッとスライドさせる人々の間で、文字の書かれているところより余白のほうが大きな紙の本（＝歌集）のページをのったりと繰っている私などは、この二十一世紀では、とてつもなくキテレツな人種といえるだろう。

私たちはそれでも、歌集や雑誌を読みながらひとつひとつの作品に立ち止まり、ためつすがめつ、長い時間をかけて鑑賞を試みる。さらには、一首の細部の一語一語、「てにをは」や「たり」「けり」にこだわって、思いをめぐらしたりする。


精霊ばつた草にのぼりて乾きたる乾坤《けんこん》を白き日がわたりをり『汽水の光』高野公彦

私がこの歌をはじめて読んだのは、今から四十年近く前、二十歳になるかならないかの時だった。

この歌、初見のときは「精霊ばつた（が）草にのぼりて乾きたる」と三句までを一息に読んで、このバッタはもう死んでいるのだと思った。「乾きたる」はバッタのことで、草にのぼったところで息絶えて、体が乾燥してしまったのだと。

しばらくして、「乾きたる」は、バッタではなく、乾坤（天地）のことではないか、と思いついた。ショウリョウバッタは草にのぼる。その点景を含む大きな世界が乾き、その世界の中を白い太陽が通ってゆく（これだと、二句「草にのぼりて」の直後でひと呼吸置く読みとなる)。

ここでは、前者の読み手をバッタ乾燥派、後者の読み手を乾坤乾燥派ということにしよう。果たしてどっちの読みが正しいだろうか。

このとき、私はすぐには結論を出せなかった。どっちもありだと思った。バッタ乾燥派のほうが理屈っぽくて、「乾坤」に深みがなくなるが、助詞「て」の順接接続からすると、こちらが自然な気がした。いっぽうで、乾坤乾燥派のほうは、ショウリョウバッタの小さな世界から、大きな世界の「乾き」に移ろう感じが快く、詩的にはこちらのほうがまさっていると思った。

数日の間、何度か思い出しては考えることを繰り返したのち、当時の私は乾坤乾燥派になることとした。バッタ乾燥派だと、やはり乾坤の存在感が薄いのだ。でも、バッタ乾燥派に、「その読みは間違いだよ」と主張するところまではできないな。そんなことも思った。

乾坤乾燥派の読みのむずかしさは、二句の終わりの「て」の前後で主語が「精霊ばった」から「日」に交代するところにある。そのために、二句の「て」で小休止を置くのは、今の短歌では珍しい読み方ではないか。

でも、こういう「て」って、ゆっくり味わえば、ちょっと豊かな感じがする。ここで強く句切れを入れたりせず、小さな世界から大きな世界へとさりげなく視点が移ろう感じが、歌を静かにふくらませるようだ。この接続法は、「白き日」の柔らかいがちょっと冷たい感じに、うまく符合しているのではないか。

高野公彦の「て」は、いささかの飛躍を含み、歌が多義性に流れる危険をもちながら、ある独特の世界観を表出するのに役だっているようだ。汎生命的でありながら、世界全体から冷たく見放されてしまったような、不思議に孤独な世界観。

こんなふうに、高野公彦の短歌の魅力を探りながら、短歌初心者の私は、助詞「て」だけで何日も考えこむ経験をしてしまった――今にして思えば、経済合理性のかけらもないこういう経験が、その後の私という人間の大きな部分を作ってきた気がする。

「精霊ばつた」の歌を読んだころ、私はまた、コンピュータ科学を生業として専攻することを決めていた。しかし、短歌の世界を流れる時間とコンピュータ科学の時間の大きな落差に一生苦しめられようとは、当時は露も思っていなかった――スピードが百万倍違うふたつの時計が、このとき、私の中で時を刻み始めたのだ。そして、どちらの時計も、今のところ止まる気配がない。

か。

*

「て」の前後で主語が交代するといえば、現代短歌で最も有名なのは次の作品ではないか。

冬山の青岸渡寺《せいがんとじ》の庭にいでて風にかたむく那智の滝みゆ　『形影』佐藤佐太郎

那智の滝は高低差百三十三メートル。南国の緑の世界を一気に流れ落ちる。佐藤佐太郎は、有名すぎてなかなか正面からは詠いにくいこの滝を、あえて真正面から堂々と詠いあげた。

さきの高野の「精霊ばつた」とは違って、佐太郎の「那智の滝」は解釈に揺らぎがない。歌意を直訳体で言えば、「(私は)冬山の青岸渡寺の庭に出た。すると、風にかたむく那智の滝が見えた」となる。そう。この歌、三句までは、私(作中主人公)が主語であり、四句結句は滝が主語である。こういう主語の転換は、現代の散文ではまず見られないものだ。「冬山の青岸渡寺の庭にいでて風にかたむく那智の滝みつ」とすれば、主語は作中主人公で統一されて通りは良くなるが、腰砕けのつまらない歌になる。あるいは、「冬山の青岸渡寺の庭ゆけば風にかたむく那智の滝みゆ」でもわかりやすくなるが、凡庸となってそれこそ砕け散る。上句の言葉の勢いを保ったままに文脈の捻れを入れて、異様な迫力を示したのが佐太郎作なのだろう。

こちらの「て」もまた、独特の作用がある「て」だ。たとえて言えば、液晶テレビの画面で望みの色を出すための〈偏光板〉のような役割を果たしている。

私が佐太郎の『形影』を読んだのも、さきの『汽水の光』と同じく二十歳前後のことだった。当時の私は、読みながらぐんぐんとこの歌集に引き込まれていったのだが、特にこの歌の前では、しばらく立ち止まってしまった――歌の解釈鑑賞に迷ったからではない。この歌の魅力の源について、当時の私なりに、あれこれと考えをめぐらせていたのだ。

＊

接続助詞「て」は、辞書的には「後に述べる内容よりも先行する内容を表す語句を受ける」（『広辞苑』）ものなのだが、現代短歌の秀作は、その奥にさらに深いニュアンスを植えつけている。このことは、私たちが短歌を読んだり作ったりするときに、とても大切なことがらだと思う。それればかりではない。ときにそれは、私たちが短歌にかかわること自体の理由にもなるのだ。

風いでて波止《はと》の自転車倒れゆけりかなたまばゆき速吸《はやすひ》の海　『水木』高野公彦
酢漿草《かたばみ》にふる雨の音かすかにて思ひ出づるよ母の待針　『渾円球』高野公彦
白藤《しろふぢ》の花にむらがる蜂の音あゆみさかりてその音はなし　『群丘』佐藤佐太郎
ただ広き水見しのみに河口まで来て帰路となるわれの歩みは　『天眼』佐藤佐太郎
（傍点著者）

助詞「て」にこだわって、同じ作者の歌をさらに二首ずつあげてみた。どれもが、単に時間的な順序や因果を表しているのではない。これらの歌の奥には、見た目の順序や因果を超える何かを感じとる作者がいる。そして、それを読みとる鑑賞者を待っている。

これ以上詳しい解説はしないから、読者の皆さんは、これらの作品における「て」の効用を味わっていただきたい。

そして――これが肝心なのだが――短歌に関わったからには、「てにをは」の一字に至るまで、作者として独自の深いニュアンスをもたせてみたいものである。それも、一人よがりではなく、言葉の伝統の上に立ちながら、この時代に生きる人間の素直で真実のこもった技として、である。

第四回　壁

　異なる公権力の境界には、壁が張り巡らされている場所がある。古くは、中国の万里の長城。現代では、ベルリンの壁、イスラエルの壁、キプロスの壁など。アメリカも（例の人が）メキシコとの国境に移民流入を防ぐための壁を設けるという話だ。

　幸か不幸か、私は右のすべての国を訪れたことがある。実際に見たのは万里の長城とベルリンの壁だけだが、イスラエルでは壁ができる前の西岸地区に入ってひどい目にあったし、キプロスでは車で拉致されそうになった。

　巨大な壁は人に緊張を強いる。壁の近くにいると、すぐに検問の警官がやってくる。スマホをいじると、スパイではないかと疑われる。荷物を置いて休んでいると、爆弾を仕掛けているとみなされる。

　戦争のときも、壁は重要な役割をはたす。特に飛行機のなかった時代は、ここが勝負を決める主戦場だった。紀元前のトロイ。中世のビザンチウム。近世の大坂（阪）。いずれも壁を越えた侵略者が戦争に勝ったのだった。

今回は「壁」の歌をあげて、これを読みながら、作品にこめられた思いを探り、「壁」にまつわる表現のおもしろさを観察してみたい。


まだキスをしつづけている夕壁の男ふたりの顔に降る雨

『ほろほろとろとろ』佐佐木幸綱

キスをする夕壁の男たち——一首だけ見ると、男の同性愛の歌と読めて「えっ」と驚くのだが、これには「ブレジネフとホーネッカー」と後注がついている。

ブレジネフは旧ソビエト連邦の共産党書記長。ホーネッカーは同時代の東ドイツ首相。ともに泣く子も黙る共産圏の帝王のような人たちだ。

じっさい、この二人は、一九七九年一〇月七日、東ベルリンで開催された東ドイツ政権樹立三十年記念行事で、熱いディープキスを交わしている。このときの写真は、東側の国々の結束の強さを不気味に象徴するものとして、広く知られることとなった。

さらに時代は下って、共産主義の国々が次々と崩壊し、ベルリンの壁が壊されたのが一九八九年。その後、この二人のキスシーンが、史跡として残された壁の上に大きく描かれることになる。掲出歌の作者である佐佐木幸綱は、今は観光地となったこの絵のある〈ベルリンの壁〉の前に立っていたのだ。

ニュースなどでご覧になった方も多いと思うが、この絵は、左側にブレジネフ、右側にホーネッカーが描かれ、二人がキスを交わすその横には「自由」と漢字で書かれている――正直、私などの目にはグロテスクな代物だ。この佐佐木の一首なども、面と向かえばちょっと苦手と言わざるをえない。しかし、悪い歌ではない。

そう。共産主義という枠組みを超えて、この歌からは、世界の主役たちの人間臭い生々しさが匂いたってくるようなのだ（ロシアでは、男同士でも挨拶の時にキスをする習慣があるが、これほど深く生々しいキスは、稀らしい）。面白く、気味が悪く――あるいはヒトというもの、歴史というものはこういうものなのだと思いを新たにする歌なのだろう。

この歌は、「まだキスを」という部分がとても目立つ。長々とキスをしているものだなあ、というその場の感想。これに加えて、共産主義がほろびても、ベルリンの壁の絵となって、この生々しさはいつまでも残っているのだなあ、という思いもあったろう。「共産主義」というイデオロギーの奥に、匂いも肌触りも強烈な権力者の肉体がうごめいている。

人間の歴史の中では、これを見ずして、何を見るというのだ。そんなことすら言いたげな一首である。

本作では、三句目の「夕壁《ゆうかべ》」という言葉が、目立たないが技のあるところだ。これを、「ベルリンの壁」と具体的に説明してしまうと、面白くなくなる。「夕壁」と当たり前のように言っているが、おそらく佐佐木の造語だろう。一首の中でとてもよく効いている。『万葉集』を専門とする人らしい言葉遣いだ。

＊

ベルリンの壁ほどでなくても、人はさまざまな場所に「壁」をもつ。衣食住の「住」は、家の屋根、壁、床などから成るが、中でも「壁」は、基本中の基本ではないかと思う。以前、中国の西域を訪れたとき、屋根も床もない家が並んでいるのを見たことがある。ゴビ砂漠のそばで、めったに雨が降らないからそれで何とかなるのだろう。しかし、人々の暮らしは貧しそうだった。私の泊まったホテルは彼らの家の横にあり、住人の顔を見分けられるほど近くはなかったとはいえ、彼らの生活の様子は窓から丸見えなのだった。

飛行機と電車とクルマを駆ってわずかな時間滞在しては土産物を買って去っていく私たち。あたふたと走り回ってはお金を落としていく私たち。家に帰れば、壁、屋根、床だけでなく、上下水道や電気・ガス、冷暖房やセキュリティシステムに守られている私たち。しかし、これだけでは立派なこととは言えない。

壁くぐる竹に肩擦《す》る窓のうち身じろぐたびに彼も枝振る

『志濃夫廼舎歌集』橘　曙覧

今から一五〇年ほど前には、日本でもこんな生活をしている歌人がいた。

橘曙覧は江戸時代末期の福井の人。清貧を貫いて多くの個性的な歌を残し、後に正岡子規などの称揚するところとなる。

この歌には、「ひた土に莚しきて、つねに机すゑおくちひさき伏屋のうちに、竹生ひいでて長うのびたりけるを、其のままにしおきて」という詞書がある。

曙覧は、小さな家の土間にムシロを敷き、そこに机を置いて歌を詠むなどしていた。土間だから、いきなり竹の子が生えてくる。どうやら屋外の竹が地下茎をはってこちらに新しい株を作ったらしい。それも苅らずに放っておくと、若竹となって屋内に枝を張る。曙覧が身じろぎをすると、竹の枝にあたって揺れる（それほど狭い家なのだ）。こんな場所に生えてきた竹にも、いやそんな竹だからこそ、親しみが湧くことだ。この直後には、「膝いるるばかりもあらぬ艸《くさ》の屋を竹にとられて身をすぼめをり」などという歌も見える。

掲出歌、初二句「壁くぐる竹に肩擦《す》る」の凝縮された表現から、ゆったりと柔らかい下三句に移っていく、なかなかみごとな一首と思う。特に「壁くぐる」はオリジナリティーの高い表現だ。壁は、打つもの、もたれるもの、隔てるもの、隠すもの、壊すもの、越えるものであっても、「くぐる」ものと意識されることはまずない。竹の地下茎が「壁くぐる」とは、清貧を貫いた曙覧ならではの初句であり、二句以下を引きだして、竹の葉の揺らぎを肌で感じて楽しむ彼自身の姿を描き出すことに成功している。

清貧といっても、曙覧は聖人ではない。「たのしみは物をかかせて善き価《あたひ》惜しみげもなく人のくれし時」という有名な歌もある。今でいえば、「原稿料をもらった、うれしいなあ」という作。おおらかに、卑しくなく、しかし人間の本性を知った詠風。

＊

蟬時雨見えざる壁を作りてはその内側に鳴き注ぎたり　『話の抽斗』徳力聖也

蟬は昆虫の中で最大の鳴き声を誇ると言われる。たくさんの蟬がいっせいに鳴き出すと、自分自身が蟬に覆われたように感じる。これを「蟬時雨」と呼んだ昔の人々のセンスはすばらしいが、徳力はさらにそこに「見えざる壁」を見ている。蟬は大声を出すだけの虫なのではない――「壁」を作って、その内側に声を降り注ぐ生き物なのだ。

これはいわゆる見立てのおもしろさを味わう歌なのだが、もちろんそれだけではない。小さな虫が命を限りに鳴くとき、彼等とわれわれ人間はどういう関係に置かれるのか――そんなことを感じさせ、考えさせる作品ではないかと思う。蟬たちは壁をつくって私たちを閉じこめる。そしてその壁の内側に向かって、命あるものの真の姿は何かと問いかけ、訴えかけるのだ。

佐佐木幸綱のベルリンの壁のなまなましさや、橘曙覧の草庵の壁の静かな存在感に比べると、徳力の壁は世界の裏側に隠されており、心の開かれた人だけに見えるものだ。佐佐木の一首に口語調でなまなましい押しの強さがあり、曙覧の一首が現在形の柔らかな俳味を醸すのに対して、徳力の歌は文語調で最後まできっちりと詠われ、一歩引いたところで観想する人の姿を示している。思索的で内向的な作品といえるが、自分勝手ではない。蟬の声は、徳力ばかりではなく、私たち皆の「内側」に降り注ぎ、命とは何か、世界とは何かをはげしく問いかけてくるのだ。

第五回　0、1、2

0（ゼロ）。何もないことを表す数字。

それこそ無限にある数の中で、ほかでもないこの0が、私は一番好きだ。0にはとがったところがない。大きいとか、小さいとかいう自己主張がない。陸地でも海でもない、砂漠でも森林でもない、風もなければ水の流れもない、東西南北、上下左右、どこにも向かない場所で、静かに世界を見守っている（あるいは、みずからの中に閉じこもっている）。

いづこより来ていづこへとゆく時間　ローマ数字に零《ゼロ》はあらざり

『芝の雨』中津昌子

五千年前、古代のメソポタミアやエジプトでは、すでに数字が使われていた。しかし、人類が0という数字をもったのは、時代もくだって、三世紀から四世紀ごろらしい。数字ができてから三千年以上、人類は0をもたなかったのである。

というわけで、古代ローマで発達したローマ数字も当然、0をもたない。Ⅰ（1）、Ⅱ（2）、Ⅲ（3）、Ⅳ（4）、Ⅴ（5）、Ⅵ（6）、Ⅶ（7）、Ⅷ（8）、Ⅸ（9）、Ⅹ（10）と数える。これより大きな数字は、Ⅹ、Ⅴ、Ⅰの組合わせで表現し、さらに大きくなると、L（50）、C（100）、D（500）、M（1000）などが加わる。

たとえば、二千四百三十六は、ローマ数字では、MMCDXXXVIと表現される。これをアラビア数字で書くと、2436だ。

われわれの目から見ると、位取り記数法によるアラビア数字のほうがすっきりしていて、表記法として無理がない。使われる記号も十個だけ。ここには、ゼロがちゃんと入っている。コンピュータやインターネットとの相性も、アラビア数字のほうがずっと良い。

掲出歌。時計の文字盤はアラビア数字のものもあるが、ローマ数字で書かれているものも多い。この作で中津は、Ⅻ（十二）からはじまる文字盤を見て、時の出発点が欠落していることに気づき、時間と数字についての物思いをはじめたのだろう。理屈っぽいようでいて、どこかぼーっとした味のある歌だ。

吐瀉物と尿はおんなじ黄色でもわずかに色味ちがう、な、便器？

「歌壇」平30・4　山田　航

この歌には、ゼロはどこにもないようだが、タイトルに、「#ストロングゼロ、ゼロ短歌」とある（題がハッシュタグになっている。このハッシュタグは、以前から存在していたようだが、いったい何の意味があるのだろうか？　ご存じのかたは教えていただきたい）。

ストロングゼロは、缶酎ハイの一種。以下、呑兵衛に聞いた話だ。

「ストロングゼロだって⁉　あれは酎ハイとしてはアルコール度数がとっても高い。五〇〇ミリ缶で三六グラムも摂取できる。これが一五〇円だから、若い奴が安く酔っ払うには最高だ。おかげでアル中が増えてしまって、社会問題になっている」

三六グラムといえば、ビールの五〇〇ミリ缶で一・八本。日本酒でいえば、一・七合分ぐらい。ワインだとハーフボトルぐらいか。これぐらいで酔っ払うのかな？

「ストロングゼロは果実味で呑みやすいので、ついつい呑み過ぎる。鶏の唐揚げなど食べながら、一本、また一本。四本呑んでも六〇〇円だが、アルコールは一四四グラム。人にもよるが、危険領域だろう」

この話に説得力があるかどうかはわからないが、たしかに迫力はある。同じ値段の安ワインよりも、四倍酔える、というわけか……。

山田の歌は、このストロングゼロを飲み過ぎてトイレで吐いているところ。吐瀉物を便器に味わわせている、という、なんともすごい発想の作品だ。

この一首、「おんなじ」「わずかに」の二つの副詞の味つけがおもしろい。「おんなじ」でべたっとくだけた後、「わずかに」でちょっぴり正気に返っている感じだ。えげつない光景にはちがいないが、作者には複眼的な見方があって、単なる下手物趣味ではない、人間としての自分の底にあるものをとらえようとしている。そういってもよいかな、と思う。

*

さて、ゼロの次に来る数、といえば、１（ローマ数字のⅠ、漢数字の一）。最小の正の数、すべての数の基本となる数だ。ゼロが「存在しない」ことを表すのに対して、１は「存在する」ことを表す。

１は小さな数だが、存在感は億や兆よりもずっと大きい。存在そのものの抽象化といってもよいだろう。

獣医師のおまへと語る北方論樹はいつぽんでなければならぬ　『北方論』時田則雄

俺はいわゆる木ではないぞと言い張れる一本があり森がざわめく　『寒気氾濫』渡辺松男

一本の木（樹）を詠った二首をあげてみた。どちらも木を擬人化した歌い方だが、この二首は、見てのとおり全然違うものだ。

厳しい北国の生を詠った時田。農家のあるじとして、自然と社会を相手に、ずっと孤独な戦いを続けているという。

「獣医師」「おまへ」と続くごつごつとした用語法。三句体言止で切って、下句「なければならぬ」の断定へと続く骨太の物言い。「いつぽん」で立つ存在のありようが伝わる一首となった。

いっぽうの渡辺の歌。森の中でちょっと変わった雰囲気の木を発見したのだろうか。一首の中では、この特異な木が意地を張って自己主張している。すると、他の木々がざわめき始める。ちょうど人間社会で、変わり者が浮いた発言をした後のように。

ここでは、「俺はいわゆる」の奇妙で重たい初句が、世界から浮き上がってしまう木

（や人）の性格をよく表しているだろう。四句まで一気に言い切ってここで句切れを入れ、結句は森全体に転じる。時田の歌とはちがって、起伏のある人工的な構成をとっているが、それでもふっくらと柔らかく、どこか人間臭い。

渡辺は、この「一本」に強い興味と同情を示しつつ、「森」のざわめきも理解する。私たちの世界は、しばしばこういう波風の中にある。そして、微妙な変化と揺り戻しを繰り返しながら、時間が過ぎてゆく。

時田の歌と渡辺の歌。孤独な一本の木を歌った点で共通するが、生身をぶつける時田の詠風と哲学的な思考を投影する渡辺の詠風には、大きな落差がある。強く意志的な時田と、観想的な渡辺。

でも、どちらの歌も、それぞれ独特の愛嬌があって楽しい。

＊

さてさて。1の次は2なのだが、ここまできて「二人」とか「二本」とか「ふたつぶ」とかだと、さすがにつまらんなあ。もっとおもしろいのはないのか。

というので、探してみたら次の一首が見つかった。

植物園ベンチに眠る青二才二メートル遺棄屍体のごとし　『魔王』塚本邦雄

休日の風景だろうか。植物園のベンチに巨漢の青年が眠っている。軽羅のひどい服装。破れたジーンズをまとって投げ出した脚も、ただただ傲然として収拾がつかない態だ。

　塚本邦雄の中では決して上等の歌ではないが、今回のテーマにはぴったりの作品だろう。「青二才」「二メートル」と二つも二の字が出てくる。

　「青二才」と皮肉っておいて、さらに「二メートル」。そして極めつけの「遺棄屍体」。徹底的にシニカルで、嘲笑の浴びせ倒し。しかし、こうして皮肉を畳みかけつつも、作者塚本は、どこかこの青二才を憎んではいない感じが残る。あの大馬鹿野郎め、このまま本当に死んでしまえ。そんなふうにも読めるが、よしよし、まあ許してやるから遺棄屍体を続けたまえ、私はずっと見ていてやるから、という奇妙な愛情も感じられる一首だ。そう。塚本邦雄は微笑していたに違いない。

愛すると二度と言はねば口中に齒刷子の青鬚が逆立つ　『感幻樂』塚本邦雄
二月の星わが額《ぬか》にあり一切のえにし斷《た》たむとして皆愛す　『閑雅空間』塚本邦雄

二日月紅にうるみて他界よりわれを拒むといふ初便り　　『獻身』塚本邦雄

塚本邦雄の場合、「二」が出てくる作品は、愛憎ないまぜの、アンビバレントな気分がこめられたものばかりだ。どうやら塚本邦雄という歌人の現代性（実存性といってもよい）と、このことは密接に関わっている。「二」という数字が現れるとき、この歌人は自らの内なる愛憎を反芻する癖があるようだ。

第六回　悪党

若い頃、短歌をやっていると言うと、よく「先生はどなた?」と尋ねられた。「馬場あき子です」と答えると、「ほう。それはすごい」というのがよくある返事。なにがすごいのかよくわからないが、ちょっといい気分になった。

ちなみに、馬場の短歌の弟子は、物故者も含めると二千人はいるだろう。私はその二千分の一、ワン・オブ・ゼムだ。なにも「すごい」ことなどはない。

もう半世紀以上、馬場はこの時代を代表する歌を作ってきた。万葉以来のこの国の和歌・短歌を、窪田空穂や釋迢空を仲立ちにして継承し、特に女歌を批評の器として再生させ、張りのある個性的な文体と主題を展開し続けた。いっぽうで『鬼の研究』『風姿花伝』をはじめとする文化論も多くの人々の共感を得るところとなり、単なる女流歌人というよりは、総合文芸家としての顔を持つ人となった。

そんな馬場あき子だが、ふだんのふるまいはいたって庶民的（というか庶民そのもの）

で、およそ〈上から目線〉などから遠い人だ。

ある「かりん」会員の出版記念パーティーが船上で開催されたことがあった。主催者の方々は、馬場あき子が来るというので手配万端、それは至れり尽くせりの会であったが、ちょっとした手違いで、馬場が休憩する予定の特別な控え室（某大統領も使った部屋）が開かなかった。あわてふためく係の人たちを前に、馬場は「わたしはこっちで皆と話していたいのだから、そんな部屋には行きたくない。早く忘れなさいよ」と促した。

万事、こんな具合である。

庶民的というのは、馬場の場合、平板な大衆性ではなく、文芸の深さにつながることだ。

今回はその例をあげて、彼女の歌を楽しんでみたい。


秋の日の水族館の幽明に悪党のごとき鰧《をこぜ》を愛す　『阿古父』馬場あき子

鰧は奇魚である。三省堂『大辞林』によると、「カサゴ目の海魚のうちオコゼ類の総称。全長八～二十五センチメートル。ハオコゼ・ダルマオコゼなどがいる。特に食用となるオニオコゼをさすことが多い。いずれも頭部がでこぼこで醜く、背びれのとげに毒腺をもつものが多く、刺されると激しく痛む。山の神の供物にするなど、山の神と関係のある伝承が多い。本州中部以南の海底に分布。夏が旬《しゅん》。［季］夏」とのこと。

この醜悪な毒魚を、馬場は「悪党のごとき」とし、「愛す」と述べる。この結句は、どこか告白めいて読者を引き込む。悪党好きといえば、日本の鼠小僧好き、西洋の怪傑ゾロやアルセーヌ・ルパンのファンなどなどだが、螣に喩えられるのは、もっと凄みのある奴か。いずれにしてもこの「悪党」、国王や権力者よりも、ふつうの職業人・家庭人よりも、ずっと人間的な魅力に富み、深い陰影を持っているものに違いない。

こうした人間味の濃い、アクと強い意志をもつ人は、たしかに馬場の好みに合うのである。そうした作者の個性としてこの歌を味わうのが、たぶんふつうの読み方なのだろう。

一首は、「秋の日の」とさりげない和語ではじめ、「水族館」「幽明」「悪党」と漢語を畳みかけて、「螣《をこぜ》を愛す」につなぐ。緩急・硬軟のとりあわせが歌の主題に符合するが、そればかりでなく、「幽明」「螣」など漢字の形態も馬場の思いによくマッチするようだ。

ここで、「悪党」について、もう少しだけ詳しく調べてみよう。

①わるものの集団。転じて、わるもの。「—をこらしめる」②鎌倉後期から南北朝時

代にかけて、秩序を乱すものとして支配者の禁圧の対象となった武装集団。風体、用いる武器などに、従来の武士とは異なる特色を持ち、商工業・運輸業など非農業的活動に携わるものも少なくなかった。

『広辞苑』

悪者の意であるが、特に鎌倉時代末期以降、幕府や荘園領主に反抗する地頭、御家人、非御家人、名主《みょうしゅ》などの集団をいった。次第に大勢力となり、荘園支配を脅かし、室町時代には国人《こくにん》に発展した。後醍醐天皇に従った東大寺領伊賀国黒田荘の悪党などが有名。江戸時代には博徒らをこの名で呼んだ。

『ブリタニカ国際大百科事典　小項目事典』

ネットのフリー百科事典であるウィキペディアに至っては、この日本史上の悪党について延々と説明があり、代表的な人物として、赤松則村、伊勢義盛ら二十名の名前が記されている。

馬場あき子は、朧の歌を作ったときに、単なる悪党ではなく、日本史にあらわれた反体制活動家としての「悪党」を意識していた。『鬼の研究』などの著者として、これは自然かつ当然のことだったろう。

一方で、ただの悪漢の意味ととる平たい読みも、彼女はじゅうぶんに承知していた。そして、そういう読者を拒否するのではなく、「幽明」「朧」といった面白い用語法や言葉運びによって、彼らを楽しませ、自分の世界に引き込もうという気持ちがあったようだ。

もっとコアな読者たち、すなわち『鬼の研究』以来の馬場の読者や、「悪党」本来の意味を知る人々には、この歌はさらに深い輝きを放つ。こういう読者たちには、特に注釈などは必要ない。

馬場あき子のそばにいる楽しみは、彼女の文化意思がこうした形をとって世の人々と混じらう場面に立ち会えることである。多くの場面で、意図通りに伝わるまでには紆余曲折があり、とんでもない評が出たりするのだが、そうした紆余曲折もまた、馬場あき子にふさわしい物語を編んでいくのだ。


蛇に呑まれし鼠は蛇になりたれば夕べうつとりと空をみてゐる

『飛天の道』馬場あき子

こんな歌もある。先の「朧」よりも新しい、つまり馬場が七十歳ぐらいになってからの作品だ。

鼠が蛇に呑まれて消化されてしまう。これを単なる代謝の問題ととらえれば、この歌は出てこない。馬場によると、鼠は蛇の血となり肉となるだけでなく、蛇の一部となって捕食者の性格を変えてしまうのだという。

この歌の上句は、「蛇に・呑まれし・鼠は・蛇に・なりたれば」と独特のリズムを刻む。特に二文節からなる重い初句、小刻みな二句から「なりたれば」の奇想に転じるあたり、馬場らしいたくらみを感じるところだ。

上句に比べると、下句はゆったりと展開する。特に四句「夕べうつとりと」の字余りは、全体の調子を落ちつかせて、蛇（＝鼠）の不思議な変貌を自然にふっくらと語ってくれる。

この世は弱肉強食の生存競争で成り立つ。これは一面の真実ではあるが、この歌の鼠のように、敗れた者もまた勝ったものの一部となって、その後にまで何かを伝えるものだ。伝えるものは、物理的・生理的な何かではない。まして勝者の論理などではない。実社会では陰に隠れがちで弱々しいもの――情念とか文化とかいうものではなかったか。

この蛇と鼠の関係は、どんなものを暗示しているだろうか。ここから先は、馬場というよりは、読者としての私たちの楽しみである。

ローマ人に征服された古代ギリシャの人々は、神話をはじめとする文化や風習によって、彼らを逆に支配した。同様のことは、古代ローマとゲルマン人の間でも、漢民族と異民族の間でも、幾度も繰り返されたことだろう。

本邦でいえば、天武持統朝で敗者となった有間皇子や大津皇子。政争に敗れた大伴家持、在原業平、そして菅原道真。いずれも詩歌で思いと名を残した。『万葉集』や『古今集』の主人公は、政治の勝者ではなく、彼らなのである。

ただし、馬場の一首は、こうした権力の争いを表立てるのではなく、敗れた者の素志が権力の側に吸収されることで、逆にその情的・文化的性格があらためて生き残ることを示唆している。そこでは、力の葛藤もあったかもしれないが、政治やお金など現実の力よりも、心の世界でのできごとに重心が置かれ、そこでの価値の逆転こそが、我が意にかなうこととして詠われるのである。

＊

この本では、各回とも、いろいろな歌をちょっぴり深読みしながら、短歌の魅力を伝えようと試みている。馬場あき子の歌は、こうした深読みをさまざまに許すものだが、現代においては、もっと即物的な読みだけを残すべきだとする意見も当然あるだろう。

私自身は、科学文明の先端に身をさらしながら日々を過ごしてきたが、いっぽうで馬場あき子（とその背後の釋迢空や窪田空穂など）を意識することで、自分の人生を大きな渾沌に投げ入れて生きてきた。それは、十九歳でこの希有な女流歌人と出会った偶然がもたらしたこと――それから四十年、決して楽ではなかったが、何ものにも代えがたい経験をしたと思っている。

第七回　マイレージ

ジョージ・クルーニー主演の映画「マイレージ、マイライフ」。主人公ライアン・ビンガムは、いろいろな会社の社長に代わって社員の首を切ることを生業とする「リストラ宣告人」だ。仕事柄出張が多く、一年のうち三二二日は仕事の旅で、広いアメリカ大陸を飛行機で飛び回っている。

以下、彼の人となりについて。

○人生の目標

一千万マイルのマイレージをためること

○生きかたのポリシー

バックパックの中に入らない持ち物はもたない。旅行荷物だけでなく、妻子とか、家とか、キャリアとか、人間らしい感情とか、とにかく、一瞬で片付けられないものは、いっさいもたない。もちろん恋愛も、遊びを超えるものはしない。

解雇する相手に会いに行って、彼(女)を解雇する。ただそれだけの、創造や生産のカケラもない仕事。それで相手が自殺しても、依頼者の社長のせいだ。自分の責任は何もない。生きている時間も空間も、肉体も精神も、すべてを消耗して、マイレージ(=飛行機で飛んだ距離)だけが残る――ペットボトルの空き瓶よりも軽い、お粗末きわまりない人生。それでも、高収入の独身貴族。物質的には贅沢きわまりない暮らしができる。特に、飛行場や航空機の中でも、ホテルでもレンタカー屋でも、貯めたマイレージのおかげで特権階級の優遇が受けられる。

ライアンは、そんな人生を他人事のように生き、ついに一千万マイルを貯めて、機長にお祝いのケーキを贈られる。この航空会社のユーザで七人目の快挙! しかもまだ中年の入口ぐらいの若さで!

私の友人でも、海外出張の多い人はいるが、さすがに一千万マイルを貯めた人は知らない(商社マンなどではいらっしゃるのだろうか)。私自身、三十歳を過ぎたばかりのころに、学会や国際共同研究で飛び回ったことがあったが、それでも一年で十万マイルがやっと。この頃は、世界一周を含む海外出張を年に七、八回はやった。十万マイルといえば、赤道を四周する距離である。東京・大阪間なら、一五〇回以上往復できる。空の上でそんな時間を過ごしたのだ。若かったからできたが、今ではとても無理だと思う。

そんな出張屋でも、一千万マイル貯めるには、百年かかる。中年での一千万マイルは、人間業ではない。

勲章は時々《じじ》の恐怖に代へたると日々《ひび》の消化に代へたるとあり　『沙羅の木』森　鷗外

こんな歌を思い出す。おもしろい作品だ。

勲章とは、「勲功を表彰して国家が授与する記章」(『広辞苑』)。つまり、国への貢献を形象化して権威付けしたシンボルマークである。

掲出歌では、「時々《じじ》の恐怖」と「日々《ひび》の消化」の対句がおもしろい。どちらも世俗の苦痛を端的にいう言葉だが、「ジジ」と「ヒビ」のちょっとざらついた響きが、この歌の主題をよく表している。

この歌を作った頃には、陸軍軍医総監・医務局長だった森鷗外。たくさんの勲章を胸につけた軍服姿の写真を見たことがある。口ひげをはやし、凜々しく威厳のある近代人鷗外。マイレージから勲章へ。現代のリストラ屋から近代最高の知識人へ。どう考えても無茶な連想なのだが、なぜこれが私のアタマの中で起こったのか。

勲章は、マイレージなどよりずっと価値のあるものだろうが、こうした栄誉は、傑出した業績とともに、しばしばそれに付随する世俗的な労苦の代償として与えられる。好き勝手に高尚なことをやっていただけるわけではないのだ。そしてその労苦は、真に人間らしい行為とはいえないものも多いのだ。

本作は、必ずしも森鷗外本人のことを詠ったものととらなくてよいが、この歌を作ったときの鷗外には、当然、自らを省みての苦々しい思いがあったろう。それと同時に、こうした苦々しさを他人事として自嘲する明るい落ち着きも見られるのではないか。

鷗外の知的レベルの高さ、軍医・作家・文学者（この歌の頃、文学博士を授与されている）としての成功は、彼の心の幸福を保証するものではなかったろう。掲出歌に見られる自省——あえていえば自嘲——も、世俗まみれの苦痛の繰り返しの中、時間をかけて培われてきたものと思う。そんな習慣が、フモールを生み、作品のもつ落ち着きにつながることもあったと思う。

＊

名誉・富・社会的地位。これらは、もっている当人の人格を表すものではないし、彼（女）の幸福を保証するわけでもない。

そんなあたりまえのことへの気づきが、しばしば小説や映画のテーマになるのは、これらを求める浅ましい心が、どうしようもなく人間の本性に根ざしたものだからだろう。青年時代に尊敬するべき賢者と思っていた人が、「時々《じじ》の恐怖」や「日々《ひび》の消化」にまみれて鉄面皮になっていく姿を、私も何度か見て来た。

友がみなわれよりえらく見ゆる日よ
花を買ひ来《き》て
妻《つま》としたしむ

『一握の砂』石川啄木

こんな有名な歌もある。

二十代のころ、私は石川啄木の短歌が嫌いだった。自意識過剰で、高い知性をもちながらやけに感傷的。人に借金して遊郭に通い、才をたのんだあげく自滅する。そんな文学青年崩れのイメージが、どうしても啄木にはつきまとう。

しかし、彼の評論「時代閉塞の現状」を手にとり、詩集『呼子と口笛』を読めば、明治末の彼が、日本社会を冷静に読み解き、自分たちの限界がどこにあるのかを見通していたことがよくわかる。歌集『一握の砂』は、そうした透徹した認識の後で、ふっと生身にかえって実った果実なのだ。交響曲を作曲しそこねた大作曲家が作った「みんなの歌」――これが啄木の短歌なのだ。

「花を買ひ来《き》て／妻《つま》としたしむ」。誰にでも覚えのある事柄を、自壊を避けるようにほわっと歌う。上品のような下品のような。これが塚本邦雄だと、「神はわが櫓」となる。穂村弘だと、「がんこな汚れにザブがあるから」となる。現代の歌人は啄木のようには歌えない。

多用する「改」の字　革・正・善　そのレポートに「改心」はなし
『サンクチュアリ』大井　学

役所の文書か、会社の内部書類か。やたらに「改」の字が目に立つ今日このごろ。そこには「改革」「改正」「改善」などはあっても、「改心」は無い。性根は変えずに、表面だけ変えて、世の中を明るく見せたり、お金儲けの効率をあげたりする。いつでも、どこでも、人間社会にありふれた光景だ。

ところでこの歌、普通に読むと、二句三句があわせて十音しかないきょくたんな字足らずの歌だ。大井学ほどの名手が、こんなところで音合わせに失敗するはずはない。これはちゃんとした理由のあることではないか。

これ、ひとつの解決法は、「改」を「カイ」と読むのではなく、「あらため（む）る」と読むこと。二句が七音となって収まりがよい。でも、だったら、「改」にルビを振ってほしかった。

もう一つは、「善」のあとに、さらに別の語を補って読む読みかた。「造」「装」「組」などがすぐ浮かぶ。もしかしたら、「元」とか「憲」とか、政治色の強い語をあてはめてもいいかもしれない。ほかにも候補はあるだろう――でも、ちょっととりとめのない感じになる。

いずれにしても、読者の勝手な想像の範囲を超えることはなく、音数の違和感はいつまでも残ってしまう。大井にとっては、字足らずのままがこの歌の内容にふさわしいと考えた――やはり、そう解釈するのが普通だろう。ここで短歌の音数律を一度離れ、下句でまた戻る。まとも過ぎるかもしれない下句を、こうした反則技で救おうということかもしれない。

＊

「マイレージ、マイライフ」。いろいろ言い換えができそうな言葉だ。「マイマネー、マイライフ」。「マイポスト、マイライフ」。「マイホーム、マイライフ」。どれも薄い言葉のようだが、私たちの毎日がこういうものから解放されるかといえば、そうではない。マイレージに代表されるフィクショナルな価値は、これを全否定すると、かえってこれにとらわれてしまうもののようだ。もう少し広く、富・地位・名誉などは、ただ拒否するのではなく、適切につきあいながら距離を置くのが賢明な生き方というべきだろう――歌人が賢明であるべきかどうかは、もう一つ別の問題ではあるが。

第八回　遺　伝

　ゲノムとは、遺伝情報の総体のこと。ヒトゲノム解析といえば、ＤＮＡ（デオキシリボ核酸）という化学物質に記録されている人間の遺伝情報をすべて読み解くプロジェクトである。これは、今から十八年前、二〇〇三年に完了した。

　遺伝子を調べれば、親子関係がはっきりするし、刑事事件の犯人の特定に役立つ。自分が酒に酔いやすいかどうか、癌や糖尿病になりやすいかどうかなども知ることができる。それはまた、生物がどのように進化したかや、日本人の祖先がどこから来たのかなどを教えてくれもする。

　これまで、遺伝子がらみでおもしろかったのは、次のような事実が解明されたことかと思う。

○鳥（鳥類）は、すべて恐竜の直接の子孫である。

○エイズのウィルスは、成人T細胞白血病のウィルスと共通の祖先をもっている。
○現世人類（ホモ・サピエンス）は、すべて約二十万年前に東アフリカで誕生したものの子孫である。
○現世人類は、アフリカ系を除いて、ネアンデルタール人の遺伝子を数％持っている（ホモ・サピエンスとネアンデルタールは混血している）。
○フランス革命後に非業の死を遂げたルイ十七世の遺体（と呼ばれていたもの）は、間違いなく彼のものであった。

遺伝子のおかげで、今やわれわれは、かなり正確に自分たちの生物学的系譜をたどることができる。

杳《とお》い世のイクチオステガからわれにきらめきて来るＤＮＡの破片

『コリオリの風』井辻朱美

イクチオステガとは、「総鰭《そうき》類（シーラカンスの仲間）から進化した最古の原始両生類。

グリーンランド東部のデボン紀後期の地層から発見。体長約一メートル、しっかりした四肢をもち陸生に成功した脊椎動物の初めのものと考えられるが、頭骨は総鰭類の面影を残す」(『百科事典マイペディア』)である。水から出て生活した最初の脊椎動物と言われている。

イクチオステガが陸にあがったのは、今から三億五千万年以上前のこと。そんな昔に、突然変異によって得た陸生のＤＮＡの一部が、はるかな時を経て自分にも伝えられている。それは、力強い手足や空気呼吸する肺を作るための遺伝情報なのだろう。

井辻朱美は、この冒険心に富む(？)太古の動物に思いを馳せ、そこから自分にＤＮＡの破片が「きらめきて」やって来たのだという。そう。これはまさに三億五千万年かけてつづられた壮大な物語である。われわれが想像の翼を最大限羽ばたかせるのに、不足のないお話だ。

この一首は、実はとても素朴な作品なのだ。ここには、進化と遺伝子というあたりまえのことが描かれているに過ぎない。しかし、この科学的真実に思いを馳せるとき、生物としての自分がどういう性格をもつのか、大きな普遍性に目覚める作者が感じられる。特に、「きらめきて来る」には、近代以前(おそらくは一九七〇年代以前)の短歌にはなかった種類の感動がこめられているようだ。

遺伝子を釣るなどと言いて疑わぬわれらの会話は聞かれていたり　『饗庭』永田和宏

ある作用をするDNAを特定することを、研究者の間では「遺伝子を釣る」と言うらしい。魚を釣るように、遺伝子を「釣る」――そんな用語を、生命科学の専門家でもあり、同時に歌人でもある永田和宏は、ちょっと複雑な気分で使っているようだ。下句「われらの会話は聞かれていたり」には、単に「聞かれて」いたというだけでなく、聞き手はきっと違和感を覚えていることだろうなあ、という想像が含まれている。

こんなふうに、専門用語は、意外な生々しさを伴うことがあり、使い手たちは何気なく言い交わすのだが、一般人からは「えっ」と思われることも多い。「遺伝子を釣る」などはまだ上品なほうで、私などでももっとすごい例をいくつか知っている。

それはともかく、同じ遺伝子を詠んだといっても、井辻の一首とは違って、こちらは学者の日常詠と読んでさしつかえないだろう。

ここで少し脱線する。

永田和宏さんは、私の顔を見るたびに、「科学者と歌人は別のもの。切り離して考えよ」とおっしゃる。私はといえば、この大いなる先達の言葉をありがたく拝聴するのだが、内心は、「そもそも学問と芸術は人間というものの両輪。ダ・ヴィンチを見よ！　ゲーテを見よ！　切り離してなど考えるのは間違いである」と確信しているので、このありがたい忠告を完全に無視し続けて今日に至っているのである。

いっぽうで、掲出歌など読むと、永田さんの立ち位置が少しく立体的に見えてくる気がする。科学と歌――方便として切り離していても、人間らしい揺らぎを忘れていない。そんな日常は楽ではないだろうが、心の収拾のつけかたは心得ていらっしゃる。永田さんほどの賢人、遺伝子を「釣る」などと言いながら、日々を無事に過ごすことはしっかりできているのだろう（脱線終わり）。

ほの光るＤＮＡをたずさえてわたしは恋をするわたしもり

『人類のヴァイオリン』大滝和子

ホモ・サピエンスという種の一個体として、自由意志をもって生きている私――そんな私も、見方を変えれば、ＤＮＡの運び屋にすぎない。はるか四十億年前からの遺伝情報を親から受け継ぎ、子供を作ってはるかな未来へとこれを受け渡す。もちろん、性は二つの遺伝情報を合体させて全然違うものとするし、生殖の過程でときには突然変異だって起こったりする。

この見方によれば、恋愛は種の保存のために遺伝子に組み込まれた〈仕掛け〉ということになる。掲出歌の「わたしは恋をするわたしもり」は、そういう「遺伝子の運び屋」の意味なのである。

では、作者はそうした分子生物学的な真理を思い起こしているだけだろうか——どうも、それだけではなさそうだ。

現代の科学は、恋愛がＤＮＡのしわざであることを解き明かすが、そんな無味乾燥な原理の上に成り立つ恋愛であっても、私＝大滝和子はこれをゆったりと楽しんでいる——ときに幸せに、ときに不幸せに。そんな柔らかな感情の流れが一首を作っているようだ。これは、「ほの光る」「わたし—わたしもり」といった言葉の響きによるところが大きい。

この歌を詠んだ大滝和子という人、虚無的でありつつ柔らかな感情を大切にする人でもある。うっとりと内向的で、（これは私の想像だが）ちょっと怖い性癖などもっていそう

だ。現実には派手なことなど何もしなくても、人生を味わい尽くせる人なのではないか

——そんなことすら思わせられる一首だ。

＊

遺伝という現象は、もちろん実際に私たちの性格や行動パターンを規定しているのだが、遺伝そのものを対象として物思うこともまた、人間の精神の作用として興味深いものがある。井辻朱美のように、認識の力そのものを楽しむこともあるだろうし、永田和宏のように、遺伝子を「釣る」ということで現実世界の齟齬が生まれて心揺らぐこともあるだろう。さらに、大滝和子のように、ちょっとニヒルな運命愛を持つことなどもある。これらの結果、かつてなかったようなたいへんおもしろい歌ができてくる。

さてさて。遺伝子操作が日常のものとなる将来には、もっとリアルで恐ろしい歌が作られるようになるのかもしれない。遺伝子組み換え生物による環境汚染、遺伝子組み換え食品による健康被害、遺伝子編集による優生学的な子づくりなど。

生物の進化はＤＮＡの変化によって引き起こされるが、自然界でこれが起こるのには、長い歳月がかかる。いっぽうで、人為的な遺伝子組み換えは、実験室でのわずかな時間で起こる。組み換えは、もちろんしっかりした倫理規範のもとで行われることになるが、

「どんな規範があっても気味悪いものは気味悪い」と感じる人が多いだろうし、「神をも恐れぬ行為」として反対を唱える人もいるだろう。

それでも、遺伝子操作は、私たちの食べる動植物や、私たち自身に対して行われ続けることだろう。これがこんにち以上に盛んになったとき、歌人はいったいどういう作品を詠むのだろうか。

スーパー遺伝子をもつ天才君や、百メートルを八秒台で走る超アスリートなどが活躍する世界になるのだろうか。これを楽しむことができるかどうか――正直、サイエンティストの端くれの私にも自信がないところだ。

第九回　自由

“As for me, give me liberty or give me death!”
—Patrick Henry

「我に自由を与えよ、さもなくば死を！」
（パトリック・ヘンリー）

《Ô Liberté, que de crimes on commet en ton nom!》
—Madame Roland

「自由よ、汝の名の下でいかに多くの罪が犯されたことか」
（ロラン夫人）

アメリカ独立戦争（一七七五年〜一七八三年）が勃発する直前、ヴァージニアの弁護士だったパトリック・ヘンリーは、イギリスの不当な支配に対して反旗を翻した。「我に自由を与えよ」はそのとき彼が発した言葉だ。

これにやや遅れて、ヨーロッパではフランス革命が起こった。ロラン夫人は、当時の指導者の一人だったが、革命後の混乱の中、政治的対立から処刑された（一七九三年）。右の「自由よ」は、その最後の言葉として知られる。

アメリカやフランスばかりではない。

自由は、近代人に必須のもの。自分の意思で考え、行動できなければ、生きている甲斐がない。これはあたりまえのようだが、人間一人一人に関して自由に生きる権利が主張されるようになったのは、人類の歴史の中でも、ごく最近のことだ。この「自由」のため、世界中の人々が命をかけて戦ったのだ。それは今も続いている。

三十年ほど前、米国の大学に赴任するとき、雇い主の研究所長から、「米国で一番大切なものははっきりしている。自由（Freedom）だ。日本では何か?」と問いかけられた。以下、彼との対話。

坂井「自由権など基本的人権の上にたって、協力すること（collaboration）でしょうか」
所長「本当に、『人権』が根底にあるだろうか。日本では、調和（harmony）のほうが第一原理ではないのか」
坂井「そんなことはないと思います。特に第二次世界大戦の教訓は、人々の心に『自由』や『人権』の大切さを教えたはずですから」

けれども、所長は納得しなかった。彼は、自分の日本での体験を語りながら、「日本人のこういう言動は、『自由』を第一原理とする人々からは決して起こらないものだ」と強く主張するのであった。

＊

「自由」という言葉自体は日本語でも古くからあったようだが、人間の権利としてこれが考えられるようになったのは、近代以後、Liberty や Freedom の訳語として使われだしてからだろう。

青草によこたはりゐてあめつちにひとりなるものの自由をおもふ

『独り歌へる』若山牧水

近代歌人の一人である若山牧水の思いは、西洋の人々が血であがなった「自由」からは遠い。もっと情緒的、気分的、感傷的なものと読める。いっぽうでそれは、『古今集』以来連綿と続く和歌的な柔らかさや曖昧さを含みながら、悲しく優しく、そして秘めやかに「おもふ」ものだったようだ。

わが愛を遂げむとすれば身を縛《しば》る悩みはたのし自由とは何　『老槻の下』窪田空穂

男女の愛でも親子の愛でもよい。「愛」を人間の本性に従って遂げようとする。ここで束縛の無い「自由」な状態を想像すると、（開放感はあるのだろうが）なんだか楽しくない。愛によって縛られることの楽しみはなかなかに深く、捨て難いのである。

これも、「自由」の概念をつきつめた末に作られた歌ではない。でも、人間心理の機微を記して味わい深いものがあるだろう。

日本の社会では、「自由」と「不自由」の境界は、とても曖昧なものに思える。そして、その曖昧さを、私を含む多くの人たちは嫌いではないような気もする。

それが良いことかどうか、と問われれば、今の私はあまり肯定的な気分にはなれない。「自由」が何であって、この言葉のもとに何が許され、何が禁じられるのか。その内容と輪郭をしっかり定めておかなければ、肝心な場面での言動に間違いを起こす。これまで生きてきた苦い経験から、痛切にそう思われてしまうのだ。

＊

二十世紀後半の短歌を振り返るとき、そこには「平和」「戦争」という語が頻出するのに対して、「自由」はそれほど多く出てこないように思う。ただし、言葉としての「自由」でなくても、自由への意志を示したり、自由無き身を見つめ直したり、自由の意味を問い直すような批判精神をもつ作品は散見される。

みづからの未来を選ぶ民の意志とこの静かさは涙出づるに　『静かなる意志』近藤芳美
あきらめてみづからなせど下心《した》ふかく俸給取《ほうきふとり》を蔑《さげす》まむとす　『多く夜の歌』宮　柊二
ラ・マルセイエーズ心の國歌とし燐寸《マッチ》の横つ腹のかすりきず　『綠色研究』塚本邦雄

『静かなる意志』は一九四九年上梓。長い戦争が終わり、日本国憲法には国民主権が高らかに謳われ、普通選挙がはじめて行われた頃のこと。自由の無い時代に、赤紙一枚で徴兵され、中国戦線で傷ついた経験をもつ近藤芳美。その彼が、この国にようやく訪れた民主主義（選択の自由）を深く嘉する姿が彷彿とされる。最後の助詞「に」は、特に作者である近藤自身の感慨の込められたところだろう。
「みづからの未来を選ぶ」。あたりまえのことかとも思うが、終戦以来、はたしてこれがほんとうに行われてきたかどうか、今現在行われているかどうか、冷静に思い返してみたいものだ。

宮柊二の歌からは、文芸家であり同時に勤め人であることの苦しみ悲しみが立ちのぼってくる。結句「蔑まむとす」は、宮らしく感情的で強引な結論づけだが、自虐的とも見えるこうした思いが、逆に歌人としての自負をも象徴するようだ。

自由な世の中になったといっても、これを満喫できるのはよほど恵まれた人であり、大部分は日々の生活に追われ、世の中から理不尽な仕打ちを受け続ける人々である。文学芸術プロパーで生きられる自由など、素質のいかんによらず、まずありえないと考えるべきだろう。

塚本邦雄の一首。この歌の主人公は、祖国の国歌が「君が代」ではなく、「ラ・マルセイエーズ」であってくれたら、と望む。むなしい願望に過ぎないのだが、なにごとかに抑圧されている今は、そう思わないではいられない気分なのだ。そんな主人公の目には、マッチ（箱）の横の擦り跡がかすり傷のように見えていることだ。

この歌の下句は、主人公の心情を投影した景物ということになるが、近代短歌には見られない形・色・リズム（句またがり）がここには見られる。この日本の社会は、こんなふうな自嘲・自虐が当然のことなのだ、と言わんばかりの作品である。
よく知られているように「ラ・マルセイエーズ」はフランスの国歌であり、冒頭にも紹介したフランス革命の時代の革命歌。しかし、その歌詞は、日本ではあまり知られていないだろう。
試しに、歌詞の中に「自由」の現れる一節を抜き出してみようか。

Amour sacré de la Patrie,
Conduis, soutiens nos bras vengeurs
Liberté, Liberté chérie,
Combats avec tes défenseurs!

神聖なる祖国への愛よ
我らの復讐の手を導き支えたまえ
自由よ　愛しき自由の女神よ
汝の擁護者とともに戦いたまえ！

（ウィキペディア訳）

実は、「ラ・マルセイエーズ」は、全篇こんなふうな歌詞なのだ。つまり、これは民衆の自由を侵す者たちに、武器をもって抗えと鼓舞する戦闘の歌であり、同時に共和制フランスのナショナリズムの歌でもある。そのせいで、私などは、「ラ・マルセイエーズ」を手放しに賛美するのには躊躇を禁じえない。

エディット・ピアフを熱愛した塚本邦雄のフランス好きはよく知られているが、彼はかの国の自由・平等・博愛の理念や文学芸術の深さ多様さを愛したのであって、ナショナリズムを愛したのではないと私は思いたい。でも、この歌詞のようにちょっとヒステリックな戦闘姿勢もまた、彼の性格を端的に表しているとも思う。

第一〇回　亡き歌人のための洋楽

今は亡き歌人を思い出す場面。多くの場合、その人の短歌を読み返す場面なのだが、そうでないときもある。

最近、音楽を聴いていて歌人の顔が浮かぶことが何度かあった。

一度目は、イエスの『こわれもの（Fragile）』をスマホの音楽プレイヤーで聴いていたとき。

どこかで書いたかもしれないが、何を隠そう、私はこのイエスの心からのファンだ。ビートルズよりも、ローリングストーンズよりも、彼らのほうが性に合う。中でも『こわれもの』と『危機（Close to the Edge）』は格別だ。ジャケットなら文句なく『イエスソングズ』のLP版。宇宙の果ての星の風景のようなシュールな図柄が、寒色を使って何枚も何枚も描かれている。

さて、そのイエスの『こわれもの』。最初の「ラウンドアバウト」に続いて、「キャンズ

・アンド・ブラームス」という曲がキーボードで演奏される。ここで、ある歌人を思い出したのであった。

その歌人は、『こわれもの』を聴いたことは一度もなかっただろう。イエスそのものを知らなかったと思うし、彼らの音楽を聴いても、「僕の趣味じゃないよ」と言ってとりあわなかったに違いない。

その歌人とは――岩田正。

イエスの『こわれもの』は秩序と無秩序が知的に合体したようなアルバムで、人間性に深く根ざす秩序を好む岩田が聴いたとすると、珍妙過ぎると感じたかもしれない。でも、「キャンズ・アンド・ブラームス」は他でもない。岩田の大好きなブラームスの交響曲第四番の旋律そのものなのだ。もちろん、オリジナルそのままではなく、軽快で今風（といっても一九七〇年代だが）の演奏に変えられているのだが。

そう。岩田のブラームス好きは有名だった。自身、次のような歌を詠んでいる。

ブラームスあましと一蹴する小高なにものなりや小高を虞《おそ》る　『柿生坂』岩田　正

われに生くる意味と夢とを与へたるブラームスなければ音楽はなし

一首目の「小高」とは小高賢のこと。モーツァルト好きの小高とブラームス好きの岩田は、音楽だけでなく芸術全般・社会全般についてよく議論し、ときにそれは口論となった。さて。ブラームスでも、交響曲第四番はちょっと変わった曲で、古いような新しいような、深刻なような趣味的なような、そんな複雑さを楽しむようなところがある。人生ってひどいものかもしれないけど、こんな楽しみかたをしてもいいんだよ。そんなふうに大作曲家がみずから実践しているような感じだ。

四つの交響曲の中で、岩田正が一番この曲を好きだったとは思えない。むしろ彼の好みをちょっと逸脱していたのではないかと思う。いっぽうの私は、ブラームスの音楽的・人間的な振幅を示すこういう曲を、交響曲第一番の重厚さとともに愛するのだ。

イエスの『こわれもの』で岩田正を思い出したとき、私は岩田と自分の似たところとともに、どこが違うかを思い出していたのだった。曲の進行とともに、その違いは、幾度も反芻されていった。そう。岩田正と出会って四十年、小高賢とは別のところで、私も彼と葛藤し続けた。若い頃は岩田のまっすぐすぎるヒューマニズムに反抗し、こちらが中年になる頃には彼の社会観を敬して遠ざけようとした。

小高賢とは違い、私はブラームスを愛するが、そのパロディーである「キャンズ・アンド・ブラームス」をさらに深く愛聴する。ちょうどそれは、岩田正という歌人を愛しつつ、彼との距離をはかった自分の来し方と静かに重なりあっているようだ。

何年かぶりでイエスを聴いて、このことに思い当たった次第である。

＊

もう一人、今回とりあげるのは、二十世紀の末年に亡くなった永井陽子だ。永井はクラシック好きで知られたが、彼女の作品もまた、モーツァルトやドビュッシーの音楽のような美しい旋律をもっていた。

私は今、彼女を思い出しながら、YouTube でドビュッシーの「亜麻色の髪の乙女」を聴いている。洗った髪から水滴がころがり落ちるような音の粒たち。

木木の呼吸《いき》しづかな夜よ父が作りしカスタネットはしづくしてゐる
『樟の木のうた』永井陽子

春雷が今し過ぎたる路上より起ちしなやかに f《フォルテ》は歩む
『ふしぎな楽器』同

ひまはりのたねをわけあふ坂のうへパッヘルベルのカノンが流れ
『モーツァルトの電話帳』同

目を閉ぢて今宵はひとり聞きゐたりこの世の外《ほか》に鳴る風鈴を
『小さなヴァイオリンが欲しくて』同

永井の歌は、フェミニズムを標榜する同性の歌人から批判されることもあったが、静かなファンを数多くもっていたと思う。少し年下の私たちの世代でも、彼女の歌が好きな人はたくさんいた。

一度、名古屋のバーのカウンター席で、永井さんと二人だけでお話したことがあった。正確な表現は忘れたが、永井さんは、「自分には自分の信じる詩歌の美があり、それを表現したい」ということをとつとつと語られた。その上で、「あなたもそう感じているかもしれないけど、今はまともなものが認められにくい時代だと思う」ともおっしゃっていた。

永井陽子は、四十八歳で逝去した。岩田正と比べると、半分ぐらいの長さの人生——亡くなって五年後に全歌集が出た。この本を通じて私なども、永井陽子の歌の波動を、今もゆっくりと受け続けているように思う。

＊

最後に塚本邦雄。この大歌人は、岩田正などとは違った意味で、亡くなった今でも私たちを強烈に呪縛しようとする。その呪縛の縄から自分を解き放って、新しい短歌をものにするか。今の歌人の多くがそういう宿命を負っているといってよいだろう。

塚本といえば、やはりシャンソン。『薔薇色のゴリラ』を読めば、彼がたくさんのシャンソン歌手を溺愛（ときに偏愛）したことが知れる。

冬苺積みたる貨車は遠ざかり〈Oh! Barbara quelle connerie la guerre〉
『日本人靈歌』塚本邦雄

プレヴェール忌忘るるころに「お丶バルバラ、戰爭とは何とおいしいものだ」
『汨羅變』同

「バルバラ」。私は今、この有名な反戦歌をイヴ・モンタンの歌唱で聴いている。プレヴェール作の歌詞の中、次の文言が出てくる。

Oh Barbara
Quelle connerie la guerre

Qu'es-tu devenue maintenant
Sous cette pluie de fer
De feu d'acier de sang
Et celui qui te serrait dans ses bras
Amoureusement
Est-il mort disparu ou bien encore vivant

ああ、バルバラ
戦争とは何と愚かなものなんだろう
君は今どうなってしまったのだろう
この鉄と砲火と鋼と血の雨の中で
優しく腕の中に君を抱いた彼は
死んでしまったのだろうか
それともまだ生きているのだろうか

（宇藤カザン訳）

第二次世界大戦の終戦直後に作られたこの歌は、日本の歌人塚本邦雄によって、二度も引かれることとなった。一度は戦後十年ほどたって原詩のままに、もう一度は、半世紀たって「戦争とは何とおいしいものだ」とパロディーにされて。

『日本人靈歌』の時代は、日本は政治の季節。〈Quelle connerie la guerre〉は、そのまで響くものがあったろう。

『汨羅變』の頃にもなると、大戦の深い傷跡も風化し、やがて世界は新しい戦争の危機を迎えつつある。利権を得ようと暗躍する死の商人たちが、今やわれわれの目の前に迫ってきている。

岩田正、永井陽子、塚本邦雄。自分の身と世界の滅びを予感しながら、それぞれが独特のやりかたで、みずからの信じる美とともにこれを表現しようとした。彼らが故人となった今、われわれは、地平線のかなたから、彼らの歌があざやかな響きとともに流れてくるのを聴く。

第一一回　読書

人はいろいろな人に出会い、彼（女）らの言葉を理解し、息遣いや体温を感じることで、自分自身を作っていく。同時に人は、本を読み、映画や絵画を鑑賞し、音楽を聴くことでも、人生を深めることができる。

どんな本を読むか。どんな映画を観るか。どんな音楽を聴くか。これらは、「どんな人に出会うか」と同等か、ときにはそれ以上の意味があるのだ。

私は十九歳で短歌を始めた。当然のことだが、たくさんの歌人の歌を読んできた。古典も、近代も、現代も、同時代も。浪漫系も、写実系も、前衛も。しかし、短歌を始める前に読んだ小説家の影響力は、いまだにすべての歌人のそれを凌駕している。特に近代の西洋の小説家のそれは。

Some, like Goethe, have taken harmony as that which gives life its justification; and some, like Walter Pater, have taken beauty. But when Goethe tells men to cultivate all their capacities, bidding them to see life whole, he is preaching unabashed hedonism; for surely men gain greater happiness the more completely they develop themselves. To make beauty the aim and end of lie is, I think, a little foolish: it is a fair-weather doctrine which can be of small use in any unusual stress; Rachel weeping for her children refused to be comforted; yet the sun that day set no less splendidly than usual.

— Somerset Maugham, A Writers Notebook

ゲーテのように、人生を正当化するものを調和と考えた人もあるし、ウォルター・ペイターのように、美と考えた人もある。しかし、ゲーテが人々にそのすべての才能を養い、人生を全体として見よという時、彼は臆面もなく快楽主義を説いているのである。というのは、たしかに、人が自己を発達させればさせるほど、それだけ大きな幸福が手に入るからである。美を人生の目標や目的にするのはいささか馬鹿げていると思う。それは何か異常な抑圧を受けるとあまりに役に立たないご都合主義の教養である。子供達を思って泣くラケルは慰められることを拒んだが、それでもその日、太陽はいつもと変らず美しく沈んだのだ。

『作家の手帳』サマセット・モーム（後藤光康訳）

高校三年生のとき、英語の先生に勧められて、このエッセイを対訳本で読んだ。それ以前に、ゲーテの『ファウスト』は翻訳で読んでいたが、ウォルター・ペイターは知らなかった。

この短い文章でサマセット・モームが二人の巨匠の人生観を批判しているのはわかったが、彼が何を意図して二人に楯突くのか、理解できなかった。しかしながら、モームが「正当化」や「美学」を人生の目標と考えないことはわかった。どうやら、ゲーテやペイターの考えを、「いい気なもの」と思っているらしいのも。

その後、モームの小説を何冊か読み、ペイターの『ルネサンス』を知って、ようやくこの引用箇所の意味がわかった。大作『人間の絆』でモームは、人生をペルシャ絨毯に喩えた。主人公フィリップは、長い葛藤の末に、人生がペルシャ絨毯のように無意味であることを悟り、彼自身の幸福の幻想から解き放たれる。この背景には、もしかしたら、モーム自身がゲーテやペイターの呪縛から解放される重要な心の体験があったのかもしれない——そんなことを考えられるようになった。

サマセット・モームのこのような文章を読み返すと、人生の目標や文学芸術の正体について深掘りしてみたくなるのだが、こうした言葉が、歌人の口から発せられたことがかつてあっただろうか。

＊

今現在の世界にたちかえってみる。ゲームに興じ、SNSに熱中する今の高校生に、モームの言葉は理解できるのだろうか。理解できないまでも、かつて私に起こったような、人生観を変えるきっかけを与えられるのだろうか？

ここで、東大入試に合格するロボット（＝東ロボくん）の開発を主宰した国立情報学研究所の新井紀子教授の調査を紹介しよう。彼女は、中高生相手に、文章題を出して、文意を理解するかどうか、実験してみた。その結果は惨憺たるもので、ごく簡単な文章であっても、これを理解する中学生は十パーセント台、高校生は二十パーセント台などということであった。

こうした事実をふまえて、新井は次のように述べている。

高校生の半数以上が、教科書の記述の意味が理解できていません。これでは、8割の高校生が東ロボくんに敗れたこともうなずけます。記憶力（正確には記録力ですが）や計算力、そして統計に基づくおおまかな判断力は、東ロボくんは多くの人より遥かに優れています。このような状況の中で、ＡＩが今ある仕事の半分を代替する時代が間近に迫っているのです。これが、何を意味するのか、社会全体で真摯に考えないと大変なことになります。

『ＡＩ vs. 教科書が読めない子どもたち』新井紀子

なぜ教科書が読めないのか。そこには、今の初等中等教育や家庭生活、スマホの活用法の問題があるだろう。瞬時に移り変わるゲームの画面や、わずかな文字数の文章で交換されるＳＮＳの情報で事足れりとする毎日。そこには、さきのモームの文章の含意をじっくり考えるような余地はない。それどころか、はるかに簡単な文章の意味を論理的に追うことすらできなくなっているのだ。

このことが、将来の日本社会に与える影響はとてつもなく大きいと思う。歌壇も例外ではない。

＊

本を読む象《ざう》の絵《ゑ》のあるかべぎはにわれは敗《やぶ》れて来《こ》しにあらずや

『禁忌と好色』岡井　隆

本を読む象はあくまで本を読め銀いろの悔《くい》にあふれてわれは

「本を読む」というのはもう化石のような行為なのだろうか。象は、特異な進化によってできた動物なのだが、彼らこそ本を読むにふさわしい、というのがまさにこの時代なのかもしれない。そして、本を読むことを何より好む人間（文芸家）などは、この奇異の動物と同類なのかも。

岡井の二首は、「本を読む象」の絵を見ながら、こうした社会的な物思いを深めているわけではない。誰かと問題意識を共有したいという歌でもない。「われは敗《やぶ》れて来《こ》しにあらずや」「銀いろの悔《くい》にあふれてわれは」は、極私的な抒情に歌を収斂させてゆく下句なのだ。これらの歌でみごとと思うのは、その意味内容以上に、一首を支える調べのもたらす柔らかな説得力だろう。

『禁忌と好色』は今から三十六年も前の歌集。私が岡井隆と親しく話をするようになったのもこの頃だ。岡井という歌人、こうした私的抒情と調べの達人として、私にはまず強く認識された。『土地よ、痛みを負え』や『朝狩』の思想詠を知ったのはその後のこと

――団塊世代の人たちとは、岡井に対する見方が初手から違っていたことだろう。

精神のどこか汚《よご》して成りたりと思ふも暗く花群のかげ　『禁忌と好色』岡井　隆

くらがりに夏柑《なつかん》の実《み》と在るわれはさびしきわれは政治を嫌ふ

そう。岡井隆といえば、大きく横に口を開いて微笑する、あのいわくありげな表情とともに、こういう歌をよく記憶している。屈折、揺り戻し、リフレイン。そうした意味上の流れに重ねて、巧妙に展開されるリズム。サ行やカ行の響きをハ行、マ行、ラ行の音で上手に包み込む美しい音色――歌から濃い体臭がたちのぼる人だった、五十代の岡井隆は。

＊

毎日の生活上の経験に加えて、本を読む経験をすることは、文芸にとって決定的なことだと思う。文芸だけではない。ふつうの人生を支えたり、方向性を決めたりするのがホンモノの読書というやつだ。

冒頭のサマセット・モームの文章や最後の岡井隆の歌を深く理解するには、ヨーロッパの文学や近代・現代の短歌をたくさん読むことが必要だろう。逆に、こうした読書や思索によって、私たちの人生は開かれて豊かになり、短歌作者としての楽しみも増していく。今のような時代、これはとても贅沢なことかもしれないが、人生は一度しかない。形にならないこうした贅沢を味わうことこそが大切だと思う。

ああしかし、今ではそれ以前に、新井紀子のいう「教科書が読めない」中高生の問題があるという――私たちはそこまで考えて物を言わなくてはならないのか。

第一二回　岩波ホール

職場近く、いくつか心のオアシスがある。煮詰まったら逃避する場所だ。

上野の美術館・博物館（企画展よりも常設展）。湯島の無縁坂。根津の料理屋フレンディー。千駄木の森鷗外記念館。本郷は菊坂、中でもカフェ金魚坂。神保町の古本屋「三茶書房」や「田村書店」。そして岩波ホール。

その岩波ホールは、最近、観客の高齢化が目立つ。ここで上映する映画は、中身が濃すぎるのか。若者の現実と乖離しているのか。それとも、映画に求めるものが違うのか。しかし、これはとても残念なことと思う。私たちの若い頃は、ここは憧れの場所であり、聖地だったからだ。

「家族の肖像」「惑星ソラリス」「旅芸人の記録」「八月の鯨」「宋家の三姉妹」「死者の書」「山の郵便配達」「ハンナ・アーレント」「別離」「はじまりの街」。これらの多くを、私はここで観た（これがかなわなかったときは、あとからビデオを借りて鑑賞した）。そして、イタリア・ネオレアリズモの虜になったり、アンゲロプロスの「エレニ」にはまったり、タルコフスキーを漁りながら思索にふけったり、と重い後遺症をいただいたのである——後遺症は今も治っていないが、これはやがて人生の果実をもたらした病気だったのだ。

試写室に小さき連帯生《あ》れしかな席立つわれらに目力の湧く『塩の行進』春日いづみ
わが仕事は画面の採録いくたびも同じ場面に涙し笑ふ

作者は、岩波ホールに三十年勤め、シナリオ採録の仕事をした。これらは、試写室での観ている映画は、「ワレサ　連帯の男」。監督は名匠アンジェイ・ワイダ。春日は特にこのワイダに関心が深いらしく、歌集の巻頭近くと末尾に二度に渡って登場する。

職場詠ということになる。

ポーランドの労働組合だった「連帯」は、やがて民主化運動の中心となり、政権を奪取する。その過程で、指導者ワレサと連帯に加えられる理不尽な弾圧。それを撥ね除けるワレサの人間力。

春日は、ホールの試写室でワレサと連帯の姿を見て、深く引き込まれた。「小さき連帯」は、職場の人間のつながりであるが、そこには映画の「連帯」に共鳴し、心が沸き立った人々の姿が見える。

*

岩波ホールで上映された映画の中でも、「山の郵便配達」は記憶に残る映画だった。これはとても単純なお話で、老いた郵便配達人が、一人息子に仕事を引き継がせる、そのための最後の配達に彼を同行させるというものだ。

といっても、郵便物を配るのは、クルマもバイクも通らない山の中。荷物をしょって、峠道などを三日間歩き回ることになる。この道程を経験させて、「次からはお前がやれ」というわけだ。途中、少数民族の人々との出会いなどもあり、その中の一人の少女と結ばれるらしいことが暗示されている。

実はこの映画について、九年ほど前に、佐藤弓生さんとお話したことがある。二人とも、今の日本ではメジャーとはいえないこの映画を観て、感じるところがあったのだ。そう。佐藤さんと私は、この素朴な作品について、「人生って、ほとんどこれで尽きているのではないか」などという会話をして静かにもりあがったのだった。そのあと、佐藤さんは、さらに物静かに、次のようにおっしゃった。

あの家の犬は次郎坊っていうでしょう。あれは中国の一人っ子政策を批判した命名。

そんなのも、ちょっとおもしろかった。

それには気づかなかった。慧眼、と思った。さすが文学者だ。

みかくにんひこうぶったいたましいはりさいくりんぐされるでしょうか
　　　　　　　　　　　　　　　　『眼鏡屋は夕ぐれのため』佐藤弓生

ものみえず道ゆくことの　ハダカデバネズミも月もほんとにはだか
　　　　　　　　　　　　　　　　『モーヴ色のあめふる』同

今、思い出すに、あのときの会話とこれらの歌は、ほんとうに地続きだなと思う。

魂はたして存在するのか。そんな問い自体を浮遊させるように、「未確認飛行物体＝魂」と叙述する。その上で、さらに「リサイクリングされるでしょうか？」と再生にまで話が及ぶ。

こんな超越的な言葉を使いながら、佐藤の歌は、とっても庶民的で、読む者をなごませる。二首目も、突拍子もない下句を用意しながら、心は等身大の自分自身に還ってくるようだ。

「山の郵便配達」には、幻想的な場面は一切出てこないのだが、肌触り・舌触りには佐藤さんの織り上げるＳＦ的な詩句に近いものがあった。描く世界は違っても、詩のありかである内面世界は通うものがあるのだろう。今になって、そんなことを思う。

*

岩波ホールで上映された優れた映画たちの中でも、「旅芸人の記録」は傑作中の傑作と思う。

過去から現在へ、現在から過去へと往還する主人公たちの魂。ギリシャという小国で、政治に翻弄される人々。国でも家庭でもこれ以上ない愚行が幾度も繰り返され、そのたびに深い傷を負う旅芸人たち。彼らの姿が、紀元前のミュケナイ王家の神話を重ねながら、淡々と描かれてゆく。

映画の中で、主人公のエレクトラは秘密警察に拉致され、強姦され、ゴミ置き場に捨てられる。一九四五年一月のことだ。翌朝、起き上がった彼女は、英国系右派とパルチザンの左派が衝突したアテネ市街戦の様子を滔々と説明する。これなども、観ているこちらが鈍器で殴られ続けているような衝撃を受けるシーンだ。この映画、妻と並んで観たのだが、この長い独白のシーンでは思わず顔を見合わせて、「すごいね」と言い合ったのを覚えている。

日本の昭和前半もひどい時代だったが、ギリシャは西欧と陸続きだったぶん、他国の侵略も内戦も複雑で残酷だったようだ。この映画を撮ったとき、テオ・アンゲロプロス監督は、四十歳になるかならないかだったという。二千年をはるかに越える民族の歴史と、悲惨な現代史と。ともどもに負いながらものごとの本質を冷静に見抜き、表現しぬく彼の力量は、やはりすばらしいと思う。

寡聞浅学の私は、アンゲロプロスを歌った短歌を知らない。でも、歌人で彼の作品を愛する人は少なくないことを知った。

というのも、次のような歌を発表したときに、多くの人がとりあげてくれたからだ。

尿《いばり》するアンゲロプロスよ永遠とひとしき須臾が音たつるなり『青眼白眼』坂井修一

彼の名作「永遠と一日」に想を得た一首だ。同作品は、カンヌ国際映画祭でパルム・ドールを受賞している。

「『永遠とひとしき須臾が音たつるなり』、この言やよし。永遠を一瞬の時の中に感受する恩寵の滴りのような歌」

「明哲と闇」「短歌往来」平29・7　三枝浩樹

こういう評をいただいたとき、感謝とともに、「ああこの人も自分と同じ世界の人なのだ」と良い気持ちになったのだった。

＊

紙数も尽きようとしているので、岩波ホールで上映された映画で短歌や歌人のことを思い出した話を二つだけして終わりにしよう。

「宋家の三姉妹」。これは、（思い出したくないけれど）嫌でも、斎藤茂吉の「宋美齢夫人よ汝が閨房の手管と国際の大事とを混同するな」（『寒雲』）「宋美齢ほそき声して放送するを閨房のこゑのごとくに讃ふ」（同）を想起させる。こんな歌、悲惨だが、これも茂吉だ。

「死者の書」。折口信夫原作のこの人形劇は、二上山の夕陽の中に浮かび上がる若者の姿が印象的で、記憶に残る。また、この映画のパンフレットには、岡野弘彦さんが一文を寄せていて、その中で、日本古来の「鎮め祭る」という行為が、いかに心広いものであったかが語られている。岡野さんご自身も反省の言葉を述べておられるのだが、上映当時の二〇〇六年と比べても、我々の現状は、さらに慌ただしく、心を失ったものとなった。芯まで痛々しい思いがしてくる。

第一三回　ソドム

ソドム。背徳の町。

ずっと昔から気になっていたが、二十一世紀になって、私の中でこの町のイメージがふくらみ続けている。今年は特に、これが一気にふくれあがり、アタマの半分を占め続けているような具合だ。

なぜというに、ひとつには、最近、次の二首に出会ったからだ。

創世記閉ぢたるのちの熱風にここもソドムであつたと気づく
『メタリック』小佐野　彈

青い月　廃墟の街をぼくはあるく人類がみな塩になるまで
『サトゥルヌス菓子店』安井高志

『旧約聖書』「創世記」によると、罪深い人々の住むソドムは、唯一神エホバの大いなる怒りに触れる。エホバは硫黄と火をこの町に降らせて、わずかな時間で住人たちを全滅させる。ロトは心正しい者であったので、その家族とともにソドムから救い出されるが、ロトの妻は、神が「うしろをふりかえって見てはならない」と告げたにもかかわらず、振り返って塩の柱にされてしまう。

読みかけの「創世記」を閉じたとき、小佐野は自分が今いる町もソドムであったと気づいた、という。彼は、自分がゲイであることをカミングアウトしているし、ソドムは古来同性愛者の町として有名だ。よってこの歌は、「かつて自分の馴染んだ町もそうであったように、この町も同性愛の都なのだ」と解釈することができる。

たしかに第一義的にはその解釈で良いのだろうが、私はそこから思いを起こして、「かつて経験した町も、いまいるこの町もソドムのような背徳の町なのだ。ここでもあそこでも、権力者の横暴、狂信者によるテロ、そして略奪や姦淫などが日常的にあるのだ」と読んでしまう。「ここも」の「も」は、そんな広がりを感じさせるのではないか。

安井のほうはもっと先鋭だ。世界中の都という都、町という町が罪にまみれたために硫黄と火で焼かれ、そこから逃れられた人も全員が塩の柱となってしまう。今、そんな近未来を想像しながら、廃墟となった街を歩いているのだが、この歩みこそまさに人類絶滅を見るための歩みかもしれない。そういう意味だろう。

＊

ソドムが歌の題材にされたのは、比較的新しいことと思う。

天にソドム地に汗にほふテキサスの靴もて燐寸擦る男らよ　『星餐圖』塚本邦雄

男の子しもロトのごとくにふり向きて塩の柱となることありや　『北鎌倉』石原吉郎

摩天楼ひかりの脚があらはれてわれはソドムの大路をわたる　『スピリチュアル』坂井修一

小佐野と安井の歌集を置いて目をつぶれば、ソドムを歌ったこんな作品たちが、まぶたの裏で明滅してくる。

塚本の一首では、ソドムは天上に葬られた都市。目の前には、テキサスの荒くれ男たちが、靴でマッチを擦って火をつける映像（西部劇だろうか）が見えている。これは、短歌にアメリカ風の男臭さや、それこそゲイの感覚を持ち込んだ、意図的・方法的な一首である。

石原の歌は、塩の柱となった人物を、ロトの妻ではなくロトとしている。これは『聖書』の誤読なのだろうか——私はそうではなく、男の原罪的な愚かさを出すための詩的演出だろうと思う。この男の子も、そんな原罪を背負って生き、もしかしたら、いつか彼の中にある怪しいものが噴出して、破滅するときもあるのではないか。そんな運命を思いやっているものと読んだ。

私の一首は、ニューヨークの朝の散歩を詠んだもの。宿泊先のロックフェラーセンターを出て五番街を横切る場面。三十歳のころのリアリズムの歌だ。五番街の人造美はそれ自体すごいものだが、人間がここで何をやっているのか、見聞きし、想像すると、ニューヨークは巨大なソドムに見えてくる（トランプタワーもこの道沿いだ）。そう。アメリカは、そして世界は、とんでもなく罪深い都市を生み出したのだと思わざるをえない。

この三人の歌では、ソドムというのは特異な町で、乱れた性愛や原罪を象徴するものとして据えられていた。しかし、小佐野や安井の作品では、ソドムは特殊なものではなくなっている。世界中がソドムになってしまったというのだ。世界全体のソドム化——これはいったいどういうことか。

＊

二十一世紀。高速のインターネットが世界中に張りめぐらされ、ＩＴの用途も多様化した。今や、世の中はクラウドと呼ばれるコンピュータ群（正確にはそこに搭載されているソフトウェア）がその中核にあり、これに手足（アクチュエーター）と目鼻（センサー）がついたものになっている。モノではなく、コトが中心の世界――地球は、二十世紀とはまったく別の星になったのである。

これは歴史の必然なのだが、変化が急激すぎたことは否めない。特に、技術の開発がベストエフォートと呼ばれるやりかたで進められたことは、明暗の両面があるだろう。

ベストエフォートとは、「最善を尽くすが保証はしない」というサービスのこと。スマホやパソコンの動作の正しさ、インターネットの接続性や通信速度――これらは、今のふつうの製品では、どれ一つとして保証されていない。裏を返せば、そんないい加減な世界で私たちは生きているのである。それも、かつては考えられなかった猛スピードで情報収集や判断や移動をしながら。

今のようなベストエフォートによる情報社会には、当然のことながら穴がたくさんある。国家の機密情報やわれわれの個人情報を盗みだすための穴。敵とみなす人々の生活を麻痺させるための穴。もしかしたら、秘密裏に人を殺すための穴だってあるかもしれない。じっさい、病院のカルテを書き換えて誤った薬の処方をさせれば、外国からの操作で患者を殺すことだってできるだろう。

人間はコンピュータほど論理的でもなければ、わかりやすくもない。多くの人は良心的でもない。そんな人々が、世界には何十億といるのである。ベストエフォート社会の裏をついて悪いことができ、それで秘密裏にお金儲けしたり敵やライバルを陥れることが可能となったら、少なからぬ人たちがそうすることだろう。

一方で、ＩＴと人工知能は監視社会をもたらした。世界中の都市に、信じられない数のモニターカメラが設置され、テロや犯罪の兆候を見逃すまいと映像を映し出し、記録している。こうした監視のシステムは、正しく運用されていれば犯罪防止・テロ防止に役立つが、間違った権力が悪用しようとすれば、オーウェルの『一九八四』の世界がやってくる――『一九八四』では、主人公は密会の現場を監視され、逮捕されたのであった。

さらには、ＳＮＳ上の炎上問題。ツイッターなどで非難の集中砲火を浴びないため、今の若い人たちがどれだけ神経を使って自己主張していることか。炎上は、使い方によっては、思想信条の表明を妨げる武器ともなる。

ネット経由の犯罪と完膚なきまでの監視、そして炎上を利用した抑圧。これが世界中で起こっている。どこにも例外はない。かつて、第二次大戦の開戦前後、科学者や作家がナチス・ドイツを嫌ってアメリカやイギリスに亡命したものだが、今や逃げてゆくべき安全地帯はどこにもない。

ことはネット社会の構造だけにとどまらない。いまの世界の問題をあげれば、地球温暖化、格差拡大、飢餓、紛争、資源の枯渇、先進国の高齢化など、耳慣れた言葉がすぐに並ぶ。

小佐野や安井のような若者にとって、世界は逃げ場のないただひとつの巨大なソドムに見えているのだろう。

世界全体がソドムになったとして、これを滅ぼすのは誰（何）なのだろうか。安井は暴力的な神のイメージを強くもっていたようだが、これをするのは、エホバでもサトゥルヌスでもない。小惑星の衝突などの天変地異でもない。われわれ人間自身だろうと思う。もしかしたら人工知能が人を滅ぼすのかもしれないが、将来そんな人工知能を最初に作るのは、紛れもない私たち人間だ。

瓦礫撤去されたるのちの真っ平ら日時計のように立つ人が居る　『林立』花山周子

こちらは、東日本大震災のあとの風景を歌った歌。二十一世紀のわれわれにとっては震災は天罰とはいえないだろうし、生き延びた人たちは誰も塩とはなっていない。そんな違いがあるのに、どこかこの震災後の〈人〉は、ソドム滅亡後のロトを思わせるところがある。

〈世界＝ソドム〉のただなかにある私たちよりも、塩になったロトの妻や「日時計のように立つ」人のほうが、ずっと人間的で良きものかもしれない。

第一四回　市民

外国人の友人とおしゃべりしていて、自分たちの子供が話題になることがある。最初は「今、何年生？」など当たり障りのないところから始まるのだが、親しくなってくると、教育に対する考え方や、将来子供がどんな人間になってほしいかなど、少し深い話をしたりする。

相手が日本人だと、「スポーツ選手にしたい」「医者にしたい」「弁護士にしたい」など、将来の職種の話になりがちだ。そこには、親の果たせなかった夢が入ってくることが多いかもしれない。

ところが、外国の友人、特に欧米の友人たちの多くは、「きちんとした市民になってほしい」と言う。

最初にこれを聞いたときは、はっとした。彼らには、市民革命によって近代社会を作ってきた歴史がある。主権をもち、社会を動かす第一の存在としての市民。自立した前向きの「市民」であることが、彼らには、なによりたいせつなことなのだ。「市民」といっても、大阪市の市民とか、北京市の市民とかいうのとは全然違う意味である。

市民

国政に参与する地位にある国民。公民。広く、公共空間の形成に自律的・自発的に参加する人々

『広辞苑』第七版

今日では一般に、ある国家、社会ならびに地域社会を構成する構成員（メンバー）を意味し、国家においては国民、市などの行政単位においてはその住民をさす。ただし本来の意味は多岐にわたり、古代都市国家や中世都市においては政治経済的特権を保持した自由民をさした。近代社会では絶対王政や封建制における特権階級（王族、貴族、領主など）に対する産業資本家、商業資本家、知識人などの中間層を意味し、近代市民革命を支えた市民層をさした（第三身分など）。大衆社会である今日でも、主体的に政治や社会に参加するという意味合いで使われる場合が多く、市民運動なども、近代の市民

社会における「市民」の意味合いが強い。　『ブリタニカ国際大百科事典』小項目事典

そう。市民は、基本的人権（平等権・自由権・社会権・参政権）をもち、これをきちんと行使する自立した個人として位置づけられている。どんな職種につくかよりも、ちゃんとした市民になるかどうかが問題なのだ。

日本人は、一般にこの「市民」の意識が低いと言われる。独自の考えをもって行動するよりも、サイレントマジョリティ（物言わぬ多数派）の中に埋もれて平穏を保つことを好む、と。たしかに、自分にもそういう傾向がある。特に大きな利害が絡まないときや、自分の価値観を失わないですむときには、そうではないか。

では逆に、市民であるためには、何を考え、どういう行動をとればいいのか。

ひとつのヒントを与えるものとして、市民革命をやった国であるフランスの例を考えてみたい。同僚のフランス文学者から聞いたお話だ。

フランスでは、バカロレアと呼ばれる大学入学資格試験が行われている。以下は、ここで出される問題のいくつかである。

「労働することで何が得られるか？」
「あらゆる信仰は理性に反するか？」
「国家がなければわれわれはより自由になれるか？」
「われわれには真理を探究する義務があるか？」

日本の受験生で、これに満足な解答ができる人はほとんどいないだろう。こういう問題を自分に引きつけて真剣に考えたことのある若者も、フランスに比べてうんと少ないに違いない。

もちろんこのことには、彼我の文化の差があるだろう。一神教と多神教の違いも大きいだろう。何でもフランスが良く、日本がダメだということではない。それに、毎日こうした問いを投げつけられて暮らさなければならないとしたら、私だって逃げ出したくなる。

しかし、こうした問いについて真剣に考えておくことは、やはり自立した市民として必要なことと思う。特に、世界のいろいろな場所に出て行って、そこの人々とともに何かをやろうとするときには、たとえそれが砂漠に井戸を掘るような作業であっても、いずれ必ずこうした問いを受け止めざるをえない場面に出くわすのだ。

ひとり識る春のさきぶれ鋼《はがね》よりあかるくさむく降る杉の雨　『水の覇権』三枝昻之

今から四十年ちょっと前、受験勉強から解放されて間もない十九歳の私は、出会ったばかりの三枝昻之から『水の覇権』をいただいた――この本の扉のところには、この歌が書かれていた。

ここには、学生運動の挫折から立ち上がろうとする若者の険しくもみずみずしい精神が描かれているのだが、当時の私は、爽やかな景の中の孤独のありかたに惹かれ、いつの時代もある青年の普遍的な心理を歌った作品として、これをとらえていた。

いっぽうで、これは、この日本でもありえるかもしれない市民意識の目覚めの歌とも読めるのではないか。そんな思いが、年とともに私の中で大きくなっていった。

その後、三枝は、私の期待とは違って、〈日本でもありえるかもしれない市民〉よりは〈ありのままの日本人〉を見つめ続けてきたように観察される。このことの価値や是非を検証するのは別の文章にしたいが、三枝のシャープな直観力と潑剌とした言動の魅力をよく知る私などは、ちょっと残念な気がしないでもなかった。

＊

主権がわれわれ個々の人間にあることを自覚し、ほんとうに自立した人間として考え、発言し、行動すること。これを市民の要件とすれば、結社に属する歌人や短歌愛好家は、市民からほど遠い人ということになるかもしれない。主宰者が良いというかどうか息をこらして待っているのは、価値判断を他者にゆだねているのであって、自立した人間のやることではない。そう考える人がいても不思議ではないだろう。

以前も書いたことがあるが、私自身は、結社は〈虚〉の空間として存在すれば良いと思っている。人々がこの空間を共有し、自分とは違うさまざまな種類の人間の感じ方、考え方を楽しむ。主宰者や幹部は、絶対視などせずに上手につきあえばよい。虚の世界なので、良い評が得られなかったからといって、上司に恵まれないサラリーマンのように嘆く必要はない。良い結社であれば、自分が主宰に理解されなくても、主宰や同人から得るものはたくさんあるだろう。

そう。若くて優れた歌人ほど、主宰や幹部からは理解されないものなのだ。特に新人は、最初からこのことをしっかりと覚悟するべきだ。主宰が自分の流儀を重んじすぎ、場合によって自分の亜流を好み、イエスマンを結社の中で重用しがちなのも、残念ながらこの世界で多く見られる事実なのである。あまりひどい主宰ならその結社を見限ったほうが良いが、だからといって一人だけで歌を続ければ良いかというと、これには別のむずかしさがある。

もともと文芸は孤独のたまものである。主宰や結社にすがるのではなく、〈虚〉の空間である結社を活用して自分と自分の文芸を深めていく。さらには、主宰や主要同人の限界を見きわめ、自分の中で彼らを上手に批判することで、彼らとは違う新しい世界を築いていくのは、個人にとっても文芸全体にとっても、必須のことだろうと思う。そうした戦いは、結社という俗世間の中ではなく、自分の中でやればよいのだ。

といっても、人間は、世俗の葛藤から離れられないものだろう。そんな自分の中の俗物根性を楽しみ、これを抑制できるようになることも、市民としての歌人に必要なことと思われる。そうでなければ、欲望と苦痛の井戸の中で一生もがき続けることになる。それもまた人生の真実かもしれないが。

＊

アレクセイ・カラマーゾフと行く秋の電車が不意に身を捩りたり

『galley』澤村斉美

ドストエフスキーの『カラマーゾフの兄弟』。末弟アレクセイ（アリョーシャ）を思いながら電車に乗っていると、ふいの揺れがやってきた。

作者の思索と感覚は、調和とも違和とも、偶然とも必然とも、美とも醜とも見える重なりを示す。電車が揺れた瞬間、作者は異次元の思いを抱きながらも、現実に厳しく張り付いてもいる。

老若を問わず、何人かの歌には市民の自覚を感じることがある。澤村斉美はその一人だ

——歌集『galley』は何度も読み返した。

第一五回　教育

歌人には先生が多い。先生は、人を育てる仕事——あたりまえだが、これがそう簡単なことではない。

「ファットとマンの間に・《てん》は要りますか」問われてしばし窓の外《と》を見る

『あの日の海』染野太朗

この歌の主人公は先生。学生に、「ファットマン」について教えていた。
ファットマンは、長崎に落とされた原子爆弾のこと。巨大な起爆装置を内蔵しており、怒ったフグのようにふくらんだその姿から、「ファットマン＝ふとっちょ」と呼ばれた。このファットマン、そのうすっぺらな名前からは想像もできない悲劇を生んだのは、人の皆知るところである。

先生だった染野は、「ファットマン」の何を伝えたかったのだろうか。この人類史上最悪の武器が、長崎の人々をどれほど苦しめたか。太平洋戦争がいかにひどい結末を迎えたか。「ふとっちょ」などというバカバカしい名前で呼ばれることに、いかに戦争する人々の愚かさが象徴されているか。

そう。生徒諸君に人類史的な愚行の正体を明らかにしようと、彼の話には力と熱がこもっていたことだろう。そこに、である。

一人の生徒君が手をあげて、「先生、このファットマンですが、『ファットマン』と続けて書くのですか、それとも『ファット・マン』と間に点（中黒）を入れるのですか」と質問した。

この生徒にとっては、「長崎に落とされた原爆がどれほどの悲劇をもたらしたか」「原爆を『ファットマン』と平気で呼ぶ人間心理がいかに浅はかで危険なものであるか」よりも、「これが試験に出たときに、解答用紙に正確に記述して満点をとる」ことのほうがたいせつだったのである。

人間にとって善とはなにか。二十一世紀の社会はどうあるべきか。彼（女）にとってこれらのことは、後回しなのである。もちろん、これらがテストの問題や仕事の一部になれば、考えて正解をみつけようとするだろう。でもそれは、倫理や人格の問題としてそうするのではなく、方便として答えを見つけようというだけなのである。

そう。こういう生徒は、どんな試験でも、寸分の狂いもないみごとな答案を書く。お役人になったら、欠陥のない緻密な予算書を書き、大臣になったら氷のように正確な国会答弁をするだろう。しかし、自分では善悪の判断のできない、他人の価値観に従わなければ生きていけない、そんな人間になるに違いない。

倫理や人格の問題は忘れて、知識とノウハウだけを身につけようとする生徒君たち。逆に彼らに伝授できるのは、知識とノウハウだけだと開き直る先生たち。教育の現場がそういうもので満たされてしまった後、こんな生徒が大人になった世界は、はたしてどんなものになるのだろうか。

染野のファットマン事件は、私にも経験がある。それどころか、毎週のように経験することだ。今、ほとんどの先生がそうではないか。

これは歴史や道徳の授業で起こる問題であり、理系の勉強なら知識伝授が中心だからかまわないのではないか。読者の中には、そんな疑問をもたれる人がいらっしゃるかもしれない。

いやいや。〈やっていいことは何で、やってはならないことは何か〉を判断することは、人間にとってなによりたいせつなことだ。それは、文系だろうと理系だろうと、当然そうなのだ。

ファットマンの開発に参加した科学者たちは、連合国への愛国心からそうした人もいただろうし、ヒトラーに対する敵意からやった人もいただろう。純粋に科学的な興味からの人もいたかもしれない。いずれにしても、世界全体にとって正義とは何か、善とは何か、という思索が十分でなかったことは確かだ。彼らの参加が自由意志によるものでなくても、(研究テーマの選び方を含めて)十分に慎重であれば、自分が当事者になることを事前に避けられたはずだ。彼らは、知識伝授や課題解決という意味の高等教育を受けていたことはまちがいないが、善悪を判断する力を醸成するための教育を受けてはいなかったのではないか。受けていたとしても、身についてはいなかったのではなかろうか。

＊

本当に叱りたいのは子か親か二つの背中見送りてなほ　『ハートの図像』桜川冴子

組織負う男と親であるだけの女攻防すＰＴＡは　『百の手』古谷　円

親というもの、子育てに最も重要な存在であることはいうまでもない。でも、先生たちにとっては、ときに叱りたい相手となり、ときに戦う敵ともなる。

桜川の歌の「本当に」や古谷の歌の「親であるだけ」という生々しい言い方は、教育者の深刻な感情がこめられたところだろう。

子供が幼い頃、親は彼らを守るためにあらゆることに気を配らなければならない。しかし、子供がある年齢になると、彼らを守るのではなく、「子供が自分を守れるように」し向けることが家庭教育の中心とならなければなるまい。「これはやってもよい、あれはやってはならない」と万事について注意するのではなく、やってよいことと悪いことの区別を自分でつけられる人間にすることこそ家庭教育なのだ。

そんなあたりまえのことが、我が子のこととなるとわからなくなる。すべての親に当てはまるわけではないが、日本中で多くの先生が、毎日のように、そういう親たちに悩まされ続けている。

＊

学歴をなほ信じゐる母連れて春のハトヤに来たりけるかも

『日々の思い出』小池　光

行き暮れてハトヤはいづこ蹌踉とハトヤはいづこ泣くなたらちね！

受け持ちの生徒が家出したのだろうか。小池光は、その母とともに、伊豆のハトヤホテルにやってきた。

この母は、いわゆる教育ママなのだろう。子供をいい学校にやりたい。学歴をつけさせて、世の中で出世する人間にしたい。そんな期待をもって教師の小池に指導をお願いする。でも、子供はそんな親の気持ちをありがたいとは思わない。余計なプレッシャーをかけないでほしい。子供は自分の資質や性格から、みずから進路を決める。自分の人生の責任は自分でとるしかないのだから、母親がなんだかだと言わないでほしい。

この二首が発表されたのは、今から三十年以上前のことだ。さすがに今はこんな母親はいないと思いたいのだが、どうだろうか。

自分も長く教師をやってきての感想なのだが、この生徒は、十代で反乱を起こしただけ、まともであり、回復も早かったのではないか。ハトヤから帰ったら、一段たくましくなって自分の道を見つけようと努力しただろう。

逆に、いつまでも親が自慢し続けるような優等生は、きわめて危険だ。こうした輩には、自立した考えを持たずに高校・大学と優秀な成績で卒業して、三十歳も近づいた頃に、はじめて「自分は何をやればよいのだろう」と思い始める者が多い。「こんなに努力して、こんなに良い成績を取り続けたのに、それに見合う褒美が与えられていない」と訴えてくる青年もいる。

それでも高度経済成長期であれば、社会はこうした未熟な大人たちを受け入れて、それなりの役割を与えていられた。今は、毎日を自分の考えで生き抜く知恵と力と勇気がなければ、一瞬で落伍する時代だ。学歴は伝統的な知識があることを示しはするけれど、この時代に必要な新しいなにかを生み出すことは、保証してくれない。

大学教育も、三十年前とはぜんぜん違ったものになっている。もちろん、語学や法律、代数や物理や経済の基本的な枠組は同じだが、実社会の場に出て行って未知の問題を発見し、これを解決する能力をいかに鍛えるかが高等教育の中心となってきているのだ。

＊

貧困。紛争。人権の抑圧。感染症。食料や水の枯渇。高齢化。地球温暖化――世界は深刻な課題に満ちている。

教育とは、子供たちや青年たちを、しっかりと自立して考え、行動することのできる大人に育てること、その上で、われわれシニアといっしょになって、これら重たい課題に挑戦してもらうことをいうのだろう。

本物の短歌は、そういう大人の作るものだとも思う。いや、そう思いたいのだ。人類的な課題を背負うなどといえば大げさかもしれないが、今や世の中はすべての人が見過ごしにできないことばかりであり、すべての人に参加するチャンスがあるのだから。

第一六回　動物としての人間

人間は動物だ。そんなシンプルなことを、今回のお話の主題としてみたい。

城ヶ島の女子《をなご》うららに裸となり見れば陰出《ほと》しよく寝たるかも　『雲母集』北原白秋

日ざかりの黒樫の木の南風素つ裸なる夫婦《めうと》に吹くも

うしろより西日射《さ》せればあな寂し金色《こんじき》に光る漁師のあたま

ここに出てくるのは、素っ裸か、裸に近い格好の男女である。彼らは、命もつものが皆そうであるように悲しくさびしい存在ではあるが、その肉体は日の光に輝いており、暖かな南風に吹かれている。

三崎時代の白秋は、命の悲しい輝きをそのままに受けとめて表現する人であった。「昼渚人し見えねば大鴉はつたりと雌《めす》を圧《おさ》へぬるかも」「あかき日の光の中に転《ころ》げ出て恍《ほ》れたる豆が声絶えてゐる」など、動植物の描写もみごとだったが、人間の肉体を歌ってこのように生き生きと光を発し、匂いがたちのぼるようにするのは、そうそうできることではないと思う。

今回の趣旨に添えば、「人間は動物だ」を屁理屈ではなく、原初的な感覚でとらえている。その上で、人間だけがもつ悲しみの根っこをつかんでいる。

『雲母集』は、近代以後の歌集の中で、留保なしに愛することのできる希有な歌集だ。これは私だけでなく、短歌にかかわる多くの人がそうなのだろう。その理由として、人間の感覚・感情の源をまっすぐに言葉でとらえたことがあると思う。

掲出歌には、『邪宗門』や『桐の花』に見られたような綺語は「金色」ぐらい。中野重治の言う「ハイカラ」（『斎藤茂吉ノオト』）からは、実は遠い世界なのであった。

今からちょうど十年前、私と米川千嘉子は、三崎を訪れ、白秋ゆかりの場所を訪ね歩いた。白秋を含む近代短歌、そして現代短歌のことをぼつりぼつりと語りながらの小さな旅。訪ね歩いたというよりは、さまよい歩いた、というのが正確なところだったかもしれない。見桃寺などをゆっくりと見たあと、城ヶ島に渡り、海辺を歩いたり、名産の魚料理を食したり、白秋記念館を見学したりした。記念館は思ったより地味なものだったが、一つ一つの展示がしっくりとして愛らしく、静かな良い気持ちで回ることができた。

米川はこのときの印象を短歌の連作としてまとめたが、私は作品にすることができなかった。白秋の世界には大きなあこがれをもちつつも、超えがたい距離を感じてしまうのだ。同じく「明星」を出発点とする木下杢太郎とは、詩歌はもとより日記の一行にまでたやすくシンクロし、夢の中で対話することすらあるのに。

われわれ人間は、奥底に秘め持つ動物性と、文明の合理性に引き裂かれたものになった。その引き裂かれ方が、白秋と杢太郎でぜんぜん違う。斎藤茂吉もまた違う。窪田空穂はさらに違う。この〈違い〉は、歌人としての自分を相対化するのにとても大切なことだ。広い時空に分布するすぐれた歌人たちの特性に照らして、自分がどのあたりにいるのかを知ることができるのだから。

＊

極月の銀河をわたる風の尾の再《ま》たかへるなきニホンオオカミ　『六六魚』小島ゆかり
猫たちに虫をいぢむる恍惚のときありて虹いろの両眼《りやうがん》
ゆふぞらの犬の太郎よ君の知る少女はおばあさんになつたよ

時空を今に戻す。最新の歌集から。

ニホンオオカミ、猫、犬。作者からの距離はそれぞれに違うのだが、小島の言葉はその距離を飛び越えて動物としての共感へとわれわれを導くようだ。

最初の歌では、「極月の銀河をわたる風の尾の」までが序詞。四句「再《ま》たかへるなき」が上下の言葉で共有される仕組みになっている、典型的な有心の序だ。そう。修辞法も古典。用語法も古典。しかし、絶滅種を哀悼しつつ心を大きな時空に飛翔させる現代的な歌だ。新しい酒を古い革袋に注いだのである。

二首目。飼い猫の愛らしさと残酷さ。これは人間にも共通するものがあり、とりわけて女性の本性にあるのではないか。下句「ときありて虹・いろの両眼《りやうがん》」の句またがりの面白さに目がいきがちだが、この歌の主眼は三句「恍惚の」にあって、作者はここで一度飼い猫と一体化し、下句で再び観察者に戻るのである。

三首目。犬の〈太郎〉は、かつて少女だった作者から今の作者を見てきた。作者は今になって彼に孫ができたことを報告する。

寿命から考えると、一匹の犬がそんなに生きるわけがない。小島は、犬というものの普遍相をとらえてこんなことを思ったのだろう。三句「君の知る」は、さりげないが強引な言い回しで、これがよく効いている。

小島ゆかりの歌は、北原白秋ほど人間の原初的な悲哀に触れているわけではない。白秋ほどの根源的な動揺を示しているわけでもない。しかし、彼女の動物との交わりは、時空をさりげなく自然に往還する立体感をもっていて、現代的な抒情の広がりをはつらつと感じさせるものとなっている。

そう。小島の歌は一見してたおやかすぎて古めかしく見えることがあるが、よく読むと、新旧の別を無化し、文明を相対化する強靱な詩精神が躍動しているのが感じられる。その根底には、人間も動物と同じ、動物にも人間のような幸不幸や善意悪意があるのだ、という直観が働いているようだ。

＊

タンザニアの鼠は地雷を知るといふ家ねずみわが襖噛み貫《ぬ》く

『あさげゆふげ』馬場あき子

ねずみ駆除の臭ひ激しく浸《ひた》し来てわれも苦しむわれはねずみか

からくにより渡来する仏書ねずみより守らんと猫は飼はれたりしか

今回、最後の主役はネズミ。こちらはリアリズム（！）の歌である。ネズミの害は都市住まいでもふつうに見られるが、馬場あき子はこれを受け、彼女らしいスケール感のある一連にしたてた。掲出の三首など、ネズミをきっかけに時空を往還し、自分の中の〈動物〉を引き出し、被害にあいながら、むしろこれを楽しんでいるようだ。

アフリカはタンザニアのネズミ。政情不安定が続いたからだろうか。地雷を知って、避けて通ることを覚えているという。国の不幸はネズミにまで及んでいるのだが、そういう思いをめぐらせているときも、リアルなネズミがわが家の襖を嚙みぬいていることだ。その迫力も半端なものではない。

二首目。ネズミ駆除には、ネズミ取りの粘着板と薬品を使うのだが、後者の匂いがきつく、人間である自分までくらくらしてくる。いやいや。人間もネズミもさほど大差のない動物。遺伝子の九十パーセント以上は同じものだ。「われも苦しむわれはねずみか」は、科学的にはまことに正しいが、それ以上に、姿形の落差を一瞬に飛び越えて共感する面白さがある。先に小島ゆかりの猫や犬と交感する歌をあげたが、馬場の場合はもっと直截にずばっと言い切っている。「われはねずみか」。そうそう。馬場もこの歌の読者も「ねずみ」に違いない。その哀れさと可笑しさと、ともどもに読者は味わわされる。

最後の歌は、飼い猫の由来に触れたもの。印刷技術のなかった時代、仏書の貴重さは今日の大統領親書以上だったろう。ネズミを捕食するネコを飼うなど、今や特に珍しくもないことだが、当時は画期的な発想だったはずだ。

この歌では、下句に意味内容上の重心があるが、歌の調べとしてのおもしろさは上句のほうにある。特に字余りの初句「からくにより」は、読者の気持ちを一息に昔へといざなうもので、ひらがな表記もよく効いているだろう。体言止めの二句切れも、読者の息のつかせかたを心得た周到なものだ。ここで、「次になにごとが起こるのか」と期待させて、ネコを登場させるのだ。

以下、蛇足となるが、この歌の背景を記しておく。二〇一八年の初めの頃、馬場あき子宅の周囲で二三軒の家の建てかえがあり、「家ねずみ」の大移動が起こって、何匹かが彼女のうちにやってきた。このネズミがタチが悪く、前年晩秋に亡くなったばかりの岩田正の仏壇にあがってはリンゴを囓って歯跡を残し、トイレから出て来た馬場と廊下で出会って互いに狼狽（これは馬場の言葉）し、粘着板につかまってもがき暴れた。この粘着板、馬場の弟子の何人かもつかまったようで、九十歳の馬場はこれをいたく喜んで呵々大笑していた。ただし、この人間ネズミを馬場は歌わなかった。武士の情けというべきだろう。

第一七回　敗北

小さい頃から勝負ごとが苦手で、将棋をさせばポカをやる、野球をやればベースを踏み忘れる、試験では凡ミスの繰り返し、ババ抜きは必ずジョーカーを引く。

こういう人間にとって読書ほどありがたいものはない。不器用で失敗ばかりの孤独な自分が、本の中で同類の登場人物と語らい、なぐさめ合う。ときには、自分の性格に合わせた処世を学んだり、ままならない人生について考えを深めたりする。さらには、周囲に満ち満ちている世俗的な価値観から自分を解放させる。

短歌を読むことのありがたみも、一つにはそういうところにあるのだろう。

すみわびぬ今は限りと山里につま木こるべき宿もとめてむ　『後撰集』在原業平

もう嫌だ、耐えられない。この世の生き地獄から逃れて、山里のぼろ屋で、木の枝を刈り薪にする暮らしがしたい。そのほうがずっとマシだから。

悲鳴のような初句切れに始まる業平のこの歌なども、浮き世で敗北を重ねた作者が、隠棲の地を求めて心悲しむ姿が見えてくるようで、まことに痛々しい。

浮世は憂き世。そんなことは百も承知でも、毎日毎日、敗者として侮蔑や哀れみの目に晒されると、さすがに気が滅入る。無常観を知るといっても、ごたごたわやわやの俗世につかり続けると、身も心も傷だらけで冷え切ってしまうというものだ。

この業平の歌では、やはり四句「つま木こるべき」がおもしろい。『伊勢物語』では、「身をかくすべき」となっているが、掲出のほうが生きる姿がくきやかに出てくるぶん、いいんじゃないか。

在原業平といえば、平城天皇の孫。父方も母方も天皇家というこの上なく高貴な出自ながら、薬子の変によって権力が嵯峨天皇系に移ったため、不遇をかこつ。数々の貴婦人と浮き名を流しては、藤原氏から迫害され、追いやられる。

業平に限らない。思えば、歴史の中で勝者の系譜は一つだけで、敗者のほうは無数だ。文人にかぎっても、大伴家持、菅原道真、後鳥羽院などなど、皆々敗者である。そして、彼らの歌や漢詩は言うまでもなくすばらしい。

負けし民すべて奴隷となる定め厚く高くと城砦延びる　『ハチドリの羽音』芹澤弘子

こちらは西洋の城壁都市を題材とした歌だ。

場所は問わない。以前は、国と国とが戦争をすると、負けた国の民はすべて奴隷として労働させられた。敗れることは、人間としての権利のすべてを失うことを意味したのだ。だとすると、戦争は絶対に勝たなければならない。軍事に費やすヒト・モノ・カネは、当然のように膨大なものとなるだろう。首都を守る城壁は厚く高くなり、国が栄えるにつれて、城砦はどんどん大規模化していく。芹澤はこれを「定め」と言った。

では、そんな城壁の内側ではどんなことが行われていたのか。

たとえば、古代ギリシャの都市国家アテネ。アクロポリスで人々が議論することで政治を進め、ソクラテスが活躍したこの町に、今もあこがれの気持ちをもつ人は多いだろう。

しかし、だ。

古代ギリシャといえば、アゴラに座ってソクラテスとおしゃべりしている場面。古代ローマといえば、元老院でキケロと法や政治のことを論じている場面。そうしたことを行えるのが、どちらの文明においてもごく少数の貴族階層に限られていたという事実は、人々の頭からすっぽり抜け落ちている。そんな階層の下には、きびしい生活を送る膨大な数の労働者や農民や奴隷の姿があったのだ。

中世伝説のロマンにひたって、輝く甲冑に身を包んだ騎士の出陣の模様を夢想するのもいいが、その「騎士道華やかなりし」時代、人口の九十九パーセントは隷農と農奴で、動物以下の扱いしか受けていなかったのだ。

「古き良き時代」アイザック・アシモフ（嶋田洋一訳）

そう。これが現実である。わが国だって、「百姓は生かさぬように殺さぬように」という言葉がある。近世に至るまで、奴隷（に近い）労働はあったのだ。

現代でもそうだ。二十世紀のナチスによるユダヤ人虐殺、南アフリカのアパルトヘイト、今世紀のイスラム国による被支配者の虐待など、時代は下っても、奴隷制度は続いていると言わなければならない。さらに言えば、〈一パーセントの富者と九十九パーセントの貧者〉という構図は、今の先進国と言われる世界でも、普遍的なものとしてあるのだ。

＊

敗者の反対――勝者といえば、「此の世をば我が世とぞ思ふ望月の虧《かけ》たる事も無しと思へば」（藤原道長）などという歌がすぐ浮かぶ。世俗の権力でねじ伏せるだけのつまらない歌なのだが、実社会でこういう辟易する芸が披露された例は枚挙に暇がないだろう。心ある人は、こうした人々のふるまいをどう受けとめてきただろうか。

トランプ勝利の号外が散るビルの街すこし細身でわれが映れり
『をみなへしをとこへし』塩野頼秀

米国の大統領選に勝利したドナルド・トランプ。彼が勝者になると予想した人は少なかったし、彼と価値観を共有する人となると、私の友人には、米国にも日本にも一人もいなかった。彼が大統領になったと聞いて、耳を疑った人も多かっただろう。私もその一人だ。掲出の歌、四句「すこし細身で」にこのときの塩野の心動きが出ている。塩野もなかなかの体格なのだが、さらに恰幅良いトランプ氏と比べると細身に見える。国際情勢がトランプによって大きく変わろうとしている、これまでの常識は通用しなくなるだろう。このことを、「自分がちょっとか細く見えるなあ」と受けとめたというわけである。

それにしても、今の政治家の中で、トランプさんほど短歌の世界から遠くに見える人は少ないように見える。もちろん、オバマ元大統領が特に近かったということもないのだが、トランプ氏となると、さすがに遥かな距離を感じてしまうのは私だけだろうか。

*

政治の世界はともかくとして、身近な俗世間でも、ものごとに勝敗はつきもの。短い人生、何をそんなに血眼になって勝負し続けなきゃいかんのか。よくわからんが、まあ、世の中、あの人もこの人も、必死で戦っていて、あなたも私も、そうしたごたごたに巻き込まれてしまうものなのだろう。文明社会は五千年を閲しようというのに、なんて情けないことかと思う。

冥土には持つてゆけない家一軒建てて内なるくらがりに老ゆ　『水木』高野公彦

あたりまえのことを言っているだけの歌だが、この歌が読者の心に響くのは、私たちのたいせつな人生の時間が、まさに「家一軒」のために消費され尽くされていることを共通認識として持っているからだろう。上句口語の言い放ちから下句文語の落ちついた物言いで収めるなど、この歌の構成は（単純ではあるけれど）意味内容や気分とよく符合している。人が名利にこだわるのは、生存競争に勝ち抜いて生き残り、子孫を残すという本能からくるものだろう。いかに理性がこれを抑制しようとしても、欲望は心の底の無意識の領野からやってきて、人生のほとんどの場面で、私たちを圧倒してしまう。これは逃れようもないことかもしれない。

噴出する欲望を抑えきることは、たぶんできない。でも、欲望をじょうずに制御しながら、逆にこれを深いところまで観察して、文芸の肥やしにすることはできる。これは短歌にかかわる功徳の最たるものではなかっただろうか。

この世界で生きることは、九十九パーセント、敗北者になることだ。文芸は、時代を問わず、老若男女を問わず、悲痛な敗北の産物としてあり、それはギルガメシュやホメロス、ヤマトタケルや大津皇子の時代からそうだったのだ。私たちがその敗北者の系譜につらなり、ついに充足されることのない欲望と苦痛に引き裂かれながら、えいえいと歌い続けること。そこに一輪の花が咲き、蜜蜂の金の模様が舞うのを夢みること。

そんな小さな楽しみを、例外なく哀れというほかない浮き世の誰が咎められるというのか。

第一八回　蠅

小池光さんは、蠅が嫌い。昨日今日と蠅がうるさくて、腹立たしいらしい。奴は同じ蠅に違いない。こんちくしょうといらいらすると歌が作りたくなる。そんな話をＮＨＫの短歌大会の会場でお聞きした。

もちろん、私も蠅が好きなわけではない。でも、「嫌われ者」に興味が湧き、ときに同情などもしてしまう性格で、こういう話を聞くと、蠅についてのあれこれを思い出してぼっとしてしまう。ＮＨＫホールでも、すぐそばの席の小池さんの魅力たっぷりな話術とともに、蠅の功徳をちょっとばかり考えてしまっていた。

ハエ類が私たちの環境に与える影響は想像の域を超えています。ハエ類は単に重要な生き物であるだけでなく、健全な生態系を維持していくためになくてはならない存在なのです。例えば、植物の花を受粉するハエがいます。信じがたいことに、ハエ目のある昆虫がカカオ（*Theobroma cacao*）という植物を授粉してくれなければ、この世からチョコレートはなくなってしまうんですよ。また、害虫を減らす役割を果たすハエもいて、ハナアブの幼虫は、庭の花を台無しにするアブラムシを食べてくれます。その一方で、ハエは鳥などほかの生き物の餌にもなっています。さらに、ハエの仲間は有機性廃棄物を上手に分解するので、誰も触りたくないような汚物をきれいに処理し、水質が保たれているかどうかを示してくれます。これほど多くの貴重な貢献をしているのだから、世界中でハエの仲間が繁栄しているのも不思議ではありません。

『蠅たちの隠された生活』エリカ・マカリスター（鴨志田恵訳）

私のようなチョコレート好きは、カカオの授粉がなくなったら人生の一大事。ガーナやコートジボワールなど、カカオの輸出国もたいへんな目にあうだろう。しかし、世の中には、チョコレートを食べられなくなってもいいから、蠅がいなくなってくれたほうがいい。ガーナなどは別の作物や産業で栄えてくれれば良い。そんなふうに考える人も中にはいるかもしれない。

でも、汚物処理となると、話は別だろう。もし蠅がこの世からいなくなったら、「私たちは今頃、膝まで糞便につかって暮らしているだろう」（同書）とのことだ。これはさすがにまいる。というか、おそらく人間という種の存続にまでかかわる大問題だ。蠅がいなければ、生物全体の進化は今とは全然違ったものになったはずだ。私たち人間、いや哺乳類がこの形で繁栄しているのも、蠅さまさまというわけだ。

そろそろ歌の話をしよう。

近代短歌の始祖のひとり、正岡子規に「獺官声高くして炎熱いよ〳〵加はる戯れに蒼蠅の歌を作る」という九首の連作がある。

つかさある人をたとへば厨なる喰ひ残しの飯の上の蠅
日の照す昼こそあらめ烏羽玉の夜を飛ぶ蠅のにくくもあるか
馬の尾につきて走りし蠅もあらんとりのこされし牛の尻の蠅
屎蟲の臭きを笑ふ笑ふものは同じ厠の屎の上の蠅
憎き者うななねを刺す蚊はあれど睡らんとする顔の上の蠅
山も見えず鳥もかけらず五百日行く八重の汐路の船の中の蠅
世の中は馬屋のうしろの畑に生ふる唐撫子の花の上の蠅

『竹の里歌』正岡子規

世の中の憎さもここに終はりけり炮碌の尻の鞴の上の蝿
ここも猶うき世なりけり草鞋編む田舎のをぢの背の上の蝿

タイトルの「猟官」とは、「官職を得ようとして多くの野心のある者が競うこと」(『広辞苑』第七版)。「蒼蝿」はイエバエなどよく見かける蝿で、体に光沢があり、幼虫は糞便や腐肉にたかる。実はこの蒼蝿、「うるさくつきまとう者をののしっていう語」(同)という意味もある。さらに、これを「そうよう」と読むと、「君側の讒者《ざんしゃ》・佞人《ねいじん》のたとえ」(同)の意味となる。子規はもちろん、これらを全部ひっくるめて使っているのだろう。

ただでさえ暑い真夏に、浮き世の馬鹿どもが熱心に自分を売り込む声をあげるのは聞くに堪えない。古来のたとえに倣って、奴らを蒼蝿とみなし、揶揄して楽しもう。そうして成った一連ということである。

一首目。官位ある人とは、喩えれば残飯をあさる蝿である。なぜなら、彼らは自分でなにかを生み出すのではなく、他人の産物のおこぼれにあずかっているに過ぎないのだから。

次の二首目。日の照る昼の時間もあるというのに、静謐であるべき夜に蝿は飛ぶ。なんと憎いことよ(最後の「か」は係助詞ではなく、詠嘆の終助詞)。

次の「馬の尾」。これはわかりやすい。リズムもよく、集中の佳品といえるだろう。馬のしっぽについておれば蠅とて千里を進むことができる。牛の尻では、その場にとどまるだけだ。出世する奴の派閥につくかどうかで泣き笑いする人々の哀れを言ったのだろう。

この作、「蒼蠅驥尾に付して千里を致す」（『史記』）の故事をふまえたもの。漢文から短歌への翻案といってもよいが、子規のおもしろさは、下句「とりのこされし牛の尻の蠅」の揶揄にある。親分を選びそこねたバカ者よ、ざまあみろ、というわけだ。

子規は、楽しみをどんどん先に進める。次の「屎蟲」では、臭いウジを笑う者も、成虫の蠅なのだという。この作では、四句「同じ厠の」が良く効いているではないか。「厠」は、役所や会社の同じ部屋、同じフロアと思えばよい。

「憎き者」。そっとやってきて首のつけ根あたりを刺す蚊の奴も嫌だが、顔のすぐ上にやってきて眠りを妨げる蠅もなかなかだ。

「山も見えず」。五百日はイオカ。山、鳥、五百日、八重と畳みかけの言葉を並べて、最後に「船の中の蠅」で落とす。俳味とも落語的とも見える手法だ。

「世の中は」「世の中の」。この二首で総括に入る。「唐撫子」はセキチク。初夏にピンク色の花を咲かせる。「馬屋のうしろの畑」の意味はちょっととりにくいが、さきの歌からすると、馬の尾について出世しようという蝿の待機場所などということか。そんな蝿も炮碌の尻の黐《もち》（＝トリモチ。鍋から吹きこぼれた米などが糊状になったものか）につかまって一巻の終わりとなる。現代でいえば、汚職で逮捕された役人などが目に浮かぶところ。

ここで終わってしまっては、「ざまあみろ」の感じが強すぎる。そこで最後の「草鞋編む」の歌が来る。ここもかしこも浮き世の一部。田舎で草鞋を編むおじさんの背中の上。そんな平凡かつ平穏な風景の中で、（さきの君側の奸のような連中とは違うのだろうが）かの蝿が舞っていることだ。

ああ、何と子規は楽しいのだろう。単なる軽妙洒脱というよりは、もう少し念の入った面白さである。しかも生き生きと青年らしい追求心がある。みごとに明治という若い時代を生きている感じがする。

これを作ったのは、明治三十一年夏。子規は満年齢で三十歳の終わりのころだ。結核が進んでカリエスとなり、膿を出す手術などしている。歩行困難で、この夏には自らの墓誌銘を記し、河東可全に託すなどしている（子規庵ホームページより）。人間として、悲惨きわまりない状態だ。

それでも子規の作る歌は楽しい。自虐などという次元ではない。世も自分もひっくるめて一つの世界として見つめ直し、あるときは笑い、あるときは泣く。その楽しみを味わい尽くしてから死のうとしているかのようだ。

子規の蠅の歌といえば、「人皆の箱根伊香保と遊ぶ日を庵にこもりて蠅殺すわれは」のほうが有名だ。たしかにこちらのほうが病臥の身を象徴しているし、下句の言い回しの面白さはあるが、「猟官声高くして」ほど透徹した目力はない。私は、「猟官」のほうに子規の本領を認めたい。

蠅の王わが食卓の一椀の毒ほのかなる醍醐を狙ふ　　『歌人』塚本邦雄

子規は近代写実派の元祖、塚本邦雄は現代幻想派の雄と言われる。しかしどうだろう。この「蠅の王」など見ると、子規の若々しい見立てや舌鋒は、塚本のこんな歌にこそ継がれているのではないだろうか。

ことは写実・幻想の問題ではない。日本の文芸の本質として、「蠅」などをとりあげてさらに深くにあるなにかに暗示的・象徴的に斬り込んでいく詠法は、たしかに現代に継がれているのである。

第一九回　経済

道徳なき経済は犯罪であり、経済なき道徳は寝言である。（二宮尊徳）

こんな言葉がある。

金儲けのために悪事を働く企業人や、絵空事の理想論ばかり述べて実社会を知ろうとしない学者先生。そうした者たちへの批判や戒めとして語られることが多い。

〈道徳〉を〈文学〉に置き換えたらどうだろうか。

文学なき経済は犯罪であり、経済なき文学は寝言である。

世間の人々は嗤うかもしれないが、私などは、これも正しいような気がする。

今、社会を動かしているのは金融資本主義だ。地球の上のすべての人々がお金儲けに狂奔する時代。「文学なき経済」と言ってよい。
いっぽうで、文芸家は「文学こそ人類の宝物」と言いながら、文学の衰退を嘆くばかり。こんな世界にした俗物どもよ、呪われてあれ！　でも、文芸家は実効性のある戦略を立て、行動しているだろうか。

いま高等学校「国語科」が大きく変わろうとしています。ひとつには、二〇二二年度から施行される新「学習指導要領」による大幅な改訂が行われます。授業では必修科目が変更され、半分の時間を実用文や資料の扱いにあてることになります。選択科目としては、「論理国語」「文学国語」「国語表現」「古典探求」という科目が新設されることになりますが、実質的にはここから二科目選ぶのが精一杯で、多くの高校が実用的な「論理国語」と「古典探求」を採るのではないか、と目されています。これによって実学が重視され小説が軽視される、近代文学を扱う時間が減るなどの危惧を訴える声が、既に多くの作家や有識者からあがっています。近年、国語教育は実用的な力をつけるための内容に変えるべきだという意見が強まり、結果として大学入試問題や教科書から文芸作品が減っていることも事実です。それは、もうひとつの大改革、いわゆる「センター試験」が廃止され、代わって「大学入学共通テスト」が二〇二一年から実施されることにつながっているからです。大学入試と直結する高校教育は、新たな入試に合わせた「国語」授業に変わらざるをえません。一例をあげると、既に二〇一七年にはこの新しい大学入学共通テストのモデル問題として、これまで全く例のなかったような、生徒会の規約や自治体の広報、駐車場の契約書が問題文として出題されています。あたかも実用文を読み、情報処理の正確さ、速さを競うための設問といった印象も受けます。

日本文藝家協会「高校・大学接続『国語』改革についての声明」

（平31・1・24）

高校の教育から文芸作品が消えてゆく。そして、「実用文を読み、情報処理の正確さ、速さを競う」国語、つまり経済のための国語ばかりになっていく。もう少し踏み込んで言えば、高校国語は「文学なき経済」を作ろうとしているのであり、われわれの価値観からすれば、これは「犯罪」ということになる。

日本文藝家協会がこうした声明文を出すのは良いことだ。いっぽうで、日本の未来を見据えた戦略性や具体性に欠け、「日本人に文芸が必須である」ことを訴える力が弱い気もする。だいたい「小説」のことは書かれているが、詩歌は無視されている。歌人としてはこれも看過できない。

＊

文学は戦略によって立つものではない。これは正論である。しかし、教育プログラムの作成は、国家戦略と無縁ではありえない。課題は「どういう人材を育てるべきか」なのだから。

まだ無題である生徒たち　スイッチはある　ある場所はまだわからない
『そこにある光と傷と忘れもの』千葉　聡

作者は高校の国語の先生。「無題」という言葉、ここまであっさり断定していいかどうかわからないが、歌の輪郭をはっきりさせている。
この歌には、「ある」が三回出てくる。無題で「ある」。スイッチは「ある」。そして「ある」場所。どの「ある」もなにかの存在を示しながら、そのものに確とした存在感はない。

教育とはもともと形のないもの。まして相手は高校生だ。この形のなさが成熟していくのを、教師は、あるときは黙って、あるときは言葉でしっかり注意しながら、見守らなければならない。

もしかしたら、作者は、生徒の中で、文芸のスイッチが入ってくれるのを待っているのかもしれない。もしそうならば——うらやましい話だ。

＊

私のように大学の教師、それも理系の大学教員となると、「文芸に目覚めて欲しい」などと思える場面は、無いと言ってよい。科学技術を教え、いっしょに研究し、最後は自分一人で基礎研究や製品開発ができる人間にして、社会に送り出す。この文章の言葉で言えば、〈経済〉のための教育ということになる。

教官室ものおもふわれの扉《と》をたたきナガスネビコが「単位ください」

『牧神』坂井修一

こんな学生もいた。進級に必要な単位が足りない。「不可」をつけた先生に頭を下げて、なんとか「可」にしてもらおうというのである。

この学生は、一八〇センチをゆうに超える威風堂々たる体格で、天井近くから私を睨みつけながら、こぶしを握りしめ、「〇〇〇の単位ください」(〇〇〇は科目名)と脅すように言うのだった。

もちろん、こんなことで単位がつくわけがない。私は彼を静かに諭して、退室願った。彼はもう一度、「〇〇〇の単位ください」と低い声で繰り返した後、しばらく黙っていたが、やがてぷいと踵を返して出て行った。

聞いたところでは、こういう場面で学生に首をしめられた先生もいたそうで、私の場合はこの程度で済んで楽なほうだったのである。

この学生のその後は知らないが、もし彼がそのままこの流儀で卒業・就職し、仕事をやっているとしたら、彼は「道徳なき経済=犯罪」を地でいく生き方をしているということになるだろう。

でも、大学も、会社も、そんな甘いところではない。仕事はできない上に不正もやる。そんな人間に居場所はない。

＊

二十世紀末からＩＴ（情報技術）が急速に発達・普及した。このＩＴの功罪はたくさんあるが、特に経済の回転を速めたことは、人間社会にとってとてつもなく大きなことだったと思う。

ＩＴの特徴として、既存の産業を破壊し、経済規模の小さな別の産業に置き換えていくことがある。ＳＮＳ然り。ネットショッピング然り。ネット銀行然り。

ＳＮＳの一つであるツイッターは、一度の情報発信が一四〇字までである。これでは複雑な思想や心理の表現はむずかしい。「好き」「嫌い」などを断片的につぶやくだけにとどまりがちだ。

一方で、ツイッターの発信量の上限がこの程度であっても、短歌・俳句ならば、完全な形で入れることができる。これはチャンスかもしれない。

というので、「短歌の勉強」というツイッター・アカウントを眺めてみる。

これもまたモダンな消費生活の触媒として巻甘藍も　　『切断』藤原龍一郎

こんな歌にめぐりあう。

巻甘藍。マキカンラン。おもしろい響きの言葉だ。辞書にはないが、ロールキャベツのことだろう。

ロールキャベツの形や質感・量感をちょっと楽しみながら食べてみる。葉の歯ごたえに続いて、じゅわっと汁が口中にひろがる。美味である。

この歌、自分を少し突き放すように知的に歌いながら、日常の「消費生活」の中の自分をとらえ直し、精神のバランスをとろうとしているようだ。

特に、「触媒として」がキモとなるところ。こうした見立てによって、経済至上主義の世界に身を置きながら文芸に関わる自分のありかを、淡々と観察しているのだろう。

経済と道徳。経済と文芸。古い古いこのテーマは、時代に応じて新しい形をとってたちあらわれる。

第二〇回　貧困と格差

映画「万引き家族」。樹木希林演じる〈おばあちゃん〉の家族は、犯罪者たちと風俗嬢だ。いわゆるドロップアウト組であり、鼻つまみ者たちである。

彼らには、生きていくための知恵と力が欠けている。だから貧困に落ち、万引きをする。〈見学店〉に出演し、鏡の向こうの相手に卑猥な姿を見せる。

しかし、彼らはまともな社会の住人達よりもずっと人間的で優しく、家族思いである。人はよいが、運が悪く、知恵が欠けているがゆえの貧困。古来変わらぬテーマだが、この二十一世紀の日本でそれがどんな形をとるか。みごとに表されている。

もうひとつ映画をあげる。「ROMA／ローマ」。（イタリアではなく）メキシコを舞台とした白黒映画だ。舞台は中流家庭（中の上ぐらいだろう）で、ここに暮らすお手伝いさんが主人公。彼女は貧困層の生まれだが、人間的に優しく子供達に人気があり、一家の主婦からの信頼も厚い。恋人の子供を身ごもるが、ある事件をきっかけに流産してしまう。

このお手伝いさんの恋人も極貧の階層の生まれであり、武道を習うことで自信をつけて、どうにか生きてきたという。でも、この武道の集団は、実はテロリスト養成機関だったのであり、彼も暴動で銃を持って奔走する。やがて短い命を、内戦やテロの現場で失うことだろう。

貧困は、テロを生む。これは、二十一世紀に普遍的に見られるテーマだ。「万引き家族」と「ROMA／ローマ」。この二本はまちがいなく傑作だと思う。私などがことさらに言わなくても、世界中の人々が知っていることだ。前者はカンヌ映画祭で、後者はヴェネツィア映画祭で最高賞を受賞しているのだから。

＊

貧困が犯罪者を生み、テロリストを生む。彼らは、決して悪人ではなく、どうしようもなくそうなってしまうように見える。もちろん、賢さや運がもう少しあれば、防げたことではあろう。でも、私たちは、そうそう賢明ではないし、いつも幸運に恵まれるわけではない。

はたらけど
はたらけど猶《なほ》わが生活《くらし》楽にならざり
ぢつと手を見る

『一握の砂』石川啄木

明治四三年作。啄木は、朝日新聞社で校正係として働いていた。給料は安くはなかったようだが、両親・妻・子供を養うため、また彼自身の自堕落な性癖のため、ずっと借金まみれの生活が続いていた。

この歌は、三行書きの間合いがよく生かされていて、初句と四句の後で入る小休止が実に効果的である。特に結句「ぢつと手を見る」の切り返しが、一首の抒情性を高めている。このとき、啄木は、別の歌い方もできたのである。たとえば、自分の貧しさを社会悪として糾弾するなど。しかし、そうはせず、「ぢつと手を見る」とした。結果、普遍性の高い一首となり、後代に伝わる愛唱歌となったのだ。

さて、石川啄木と同世代の北原白秋も、歌集『雀の卵』の時期は極貧にあえいだようである。次にこれを見てみよう。

極貧が来た。考へて見ると、その頃の私としては相当に声名も地位もあつたし、さう物質的に苦しまなくともよささうなものであつたが、全くその日の糧にも差支ながらをかしい程金にならぬ事ばかりに没頭してゐたのである。それに書いたものさへ持つてゆけば何処の本屋でも喜んで金に換へてくれたにちがひなく、再三いろいろと申込んで来た向きもあつたが、一々頭から断つて、全然眼も向けなかつたのは、全く弟の復活する迄弟と同じく赤貧のどん底で終始しようと覚悟したからであつた。それに外の仕事に気を移せば折角のこれまでの真純な感興を破壊して了ふので、遮二無二死んでもこの一事にかぢりついてゐる外に途が無かつたのであつた。

何もかも売り尽して了つた。いくらか残つてゐる書籍類も大概手放して了つた。妻の琴もまげた。残るは彼女が仕舞の舞扇だけになつた。それももう破れて了つてゐた。

（北原白秋『雀の卵』大序）

こちらは芸術に没頭するあまり、実生活を顧みない生活態度であり、それゆえの極貧である。歌集一冊のために、ここまでやるのが歌人――そう言ってしまってよいものかどうか。私が家族ならば、耐えられない行状だ。

ところで、白秋には、「ぢつと手を見る」に類する歌の表現は見られない。いくら貧乏をしても、啄木のような生活詠には赴かないのである。

当時の歌を何首か引いてみよう。

月夜よし厩のうらの枇杷の木に啼く鶉《うづら》ゐて露しとどなる
羽根そよがせ雀樗《あふち》の枝に居り涼しくやあらむその花かげは
菅畳今朝《すがだたみけさ》さやさやし風に吹かれ跳《と》び跳《と》び軽ろき青蛙《あをがへる》一つ
『雀の卵』北原白秋

「露しとどなる」。「涼しくやあらむ」。「さやさやし」。「跳《と》び跳《と》び軽ろき」。こうした形容動詞や形容詞を使った美的表現はやはり白秋らしく洗練されたものだ。一首目などは、藤原俊成の「夕されば野辺の秋風身にしみてうづら鳴くなり深草の里」(『千載和歌集』)を思い出させる。そして、これらの裏に極貧の生活があったとは、歌だけではわからないだろう。

借金の言訳を妻に押しつけて
のがれるやうに家を出る
今日も

『生活を歌ふ』渡辺順三

質に入れた
着物のことなど愚痴にいふ
妻を叱れど妻を叱れど

同

時代が下ると、こういう歌が現れる。プロレタリア短歌と呼ばれるものだ。三行表記は啄木の流れである。その上で、口語で歌われていて、テニヲハの助詞が多く、字余りも目立つ。こうした助詞や字余りが、作品に屈折感をもたらしているようだ。

＊

最近の歌では、単なる貧困ではなく、〈格差〉が目立つ。世の中、一％の富者と九十九％の貧者に分かれると言われる時代なのだ。

どうやったら金持ちになれるのだろう朝焼けが空を知らない色にしている
『屋上の人屋上の鳥』花山周子

退職の一日前に胸元のペンをとられるさようならペン
『いらっしゃい』山川　藍

石川啄木などと比べて、花山や山川は、貧困にあえいでいるということではなさそうだ。しかし、経済格差や非正規の痛みを嫌というほど味わってきたようである。

私たちが就職した時代、つまり昭和の終わりのころは、「お金持ち」になりたいという人はもちろんいたが、文芸をやるような人は、「お金」よりも「人間らしさ」を求めたのではなかったか。中流の暮らしの中で、おちついて世の中を眺め、感じるべきことを感じ、考えるべきことを考え、その上で創作に一定の時間を割く。そんな人生を望んだのではなかったか。

一九八〇年生まれの花山周子や山川藍となると、中流という呑気？　なカテゴリーは存在しないようだ。えげつないまでお金中心の世界で日々を生き抜かなければならない彼たち、彼女たち。

でも、これらの歌はどうだろう。

金持ちにはなれそうにないわが身をかえりみながら、大きな景を悠々と楽しんでいる。小さな備品までも奪われながら、「さようならペン」とおおらかに呼びかけてみせている。ここには悲憤もあるのだろうが、それを上回る人間力が感じられるのではないか。

花山や山川は、バブル期をのほほんと過ごした私などよりも、人間としてのバランスがしっかりとれているのではないか。まともにものを考える力が備わっているのではないか。その上で、私などの人生経験を凌駕するなにかを、若くして持ってしまっているのではないか。

ちょっと大げさだったかもしれないが、あたらしい格差社会の中で生きる若手歌人たちからは、たしかに大きな鼓動が聞こえてきている気がする。もちろん全員からではない。繊細さや傷つきやすさを表に出した歌にも良いものは多いが、今の私はどうも花山や山川の歌のほうに惹かれているときが多いようだ。

第二回　韜晦

わたしが何者なのか、どんなに考えてもわかりはしない。
わたしは、人間の〈選外佳作〉なのだ。

今世紀はじめ病子規のひらきたる大きな傘にかくれてもとな

『人生の視える場所』岡井　隆

身の回りの細かなあれこれを思案しているうち、どの考えもうまくまとまらず、収拾がつかなくなった。そんな折り、ふとこんな歌を思い出した。正確には、「詞書と歌」が浮かんできたのである。

これは、なかなかクセの強い作品だ。「大好きなうた」というよりは、「ちょっと苦手なうた」に近い。

まず詞書。

「わたしが何者なのか、どんなに考えてもわかりはしない」

これは誰もが知っていて、ときに思いをめぐらすことがらだ。遺伝子の化学的組成が完全にわかっても、精神分析がどんなに進んでも、「わたし」が何であるのかはわからない。人類滅亡の日まで、誰にもついにわからないのだろう。

「わたしは、人間の〈選外佳作〉なのだ」

問題はこちらである。

〈選外佳作〉とは何か。

『広辞苑』には、「選外」も「佳作」もあるが、「選外佳作」は見出し語にはなっていない。

選外　選にもれること。選に入らないこと。「――佳作」
佳作　入選に次ぐすぐれた作品。「選外――」
『広辞苑』第七版

どちらも、「選外佳作」が用例として出されている。『広辞苑』に素直に従えば、選外佳作とは、「入選はしなかったが、これに次ぐ優れた作品として認められたもの」ということになるだろう。ただの「佳作」と大差がない。

とすると、掲出歌の詞書は、「自分は入選はしなかったが、次点にはなるぐらいの人間の佳作なのである」という意味に取れる。

しかし、である。

岡井隆の言いたいことは、自分がただの佳作に過ぎないということではないだろう。岡井のような歌人は、そんなことを言うために、わざわざこんな凝った詞書をしつらえはしない。

それではどういうことか。


私が何であるか、私にだってわからないのだ。世の中の人々、特に実社会や歌壇で羽振りを利かせる俗物連中などにわかるわけがない。私は、奴らとはまったく違う評価軸で評されるべき人間のはずだ。

そんな意地を込めた、ちょっと特異な用語法だったに違いない。そんなふうに私は思う。

いっぽうで、「今世紀」に始まる短歌のほうは、一見して柔和で弱々しく、女々しい作と読める。

自分がアララギ系の末裔であることを表白するとともに、その元祖の正岡子規が結核を病む「病子規」であったこと、アララギ系の大きな傘に「かくれて」自分が存在していることなどを述懐している、と。

ここでも、結句「かくれてもとな」がちょっと面倒な表現だろう。

副詞「もとな」は『万葉集』の頃から使われているが、念のためにこれも辞書を引いておこう。

（「もと」は根元または根拠の意。「な」は「無し」の語幹。「もとづく所なく」が原義）何のわけもなく。やたらに。しきりに。

『広辞苑』第七版

（「もと」は根元・根拠の意、「な」は形容詞「無し」の語幹で、理由なく、根拠なくの意から）やたらに。むやみに。無性に。多く、自分には制御のきかない事態をあきれて眺めているさまに用いられる。

『精選版　日本国語大辞典』

この「自分には制御のきかない事態をあきれて眺めているさま」というのが、掲出歌の「もとな」に寄り添う解釈であるように思われる。

最先端の前衛歌人と謳われた自分は、正岡子規の系譜を負う人間であり、近代でも最も伝統的な文学的潮流の上にある。突拍子もなく撥ねたことをしたようだが、けっきょく今は、いかんともしがたく、写実系の大きな傘の中に隠れるように存在しているのだ。

そんな解釈になるだろうか。

だが、はたしてこれが本音なのだろうか。

この歌、句切れはないが、上から下に読み進めるにしたがって、漢語名詞から和語の形容詞・副詞・動詞に中心が移ろってゆく。これが、シャープな論理性から、模糊とした心情表白に移ろうことに随伴しているようだ。理から情への移ろい、といってもよい。

そう。たしかに岡井は、いささか消極的な言い方で自分の立ち位置について弱気な告白をしているように見える。たしかに心弱ったときにはこういうことを言ってみたくなるかもしれない。

しかし、この歌には別の解釈もある。

自分は、子規の傘、すなわちアララギ系という枠に納まるような小さな人間ではない。短歌という文芸を根本から刷新するほどの度量の大きな男なのだ。でも、こんな自分でも心弱るときがあるので、そんなときは、子規の傘に隠れてじっとやり過ごすのだよ。

どうだろうか。これは素直な解釈とは言えないかもしれないが、こうした読みをしたほうが、この作品は面白く味わえるように思う。

詞書も短歌そのものも、この作品には、表面に見える意味の奥に、反対の意味が隠されていて、「こんなことを言ってはいるが、私はそんな枠組みではとらえられない人間なのだ。わからない奴は勝手に〈情けない私〉に同情してくれればいいし、わかる奴は〈本物の私〉の言葉と心の深み、特にそれらの苦みを味わってくれればいい」と言っているようである。

こうした自意識過剰とも見える韜晦戦術を、私はあまり好まないのだが、岡井には岡井の理由があってこういうことをやったのだろうとは思う。それはわからなくもないし、そのこと自体にひとつの文学的価値を見る人がいてもおかしくないと思う。

＊

韜晦。字画の多い面倒なコトバである。

議論ではつねに負けたり単純に短舌《たんぜつ》ゆゑといはばいふべく　『空目の秋』日高堯子

これも面白い歌だ。「短舌」という見慣れない語があるが、これは次のような意味である。

《名》へたな話し方。不十分で、要領を得ないしゃべり方。

『精選版　日本国語大辞典』

ある人との議論は、いつも自分が負けていた。それは何故かというと、自分の話し方が下手だったからだと言えば言えるのだろう。

ここでは、結句「いはばいふべく」の屈折した調子に注目しなければなるまい。

作者日高堯子は、自分が議論に負けたのを〈短舌〉のせいだとは思っていない。もちろん、自説がまちがっていたと思っているわけではない。

だいたいの場合、間違っているのは相手だったのだ。日高は、自分が正しかったことに確信をもっているし、それは勝ち負けの問題ではないこともよくわかっている。

しかし、相手のほうが声の調子が強かったり、ひたすらに強情であったりするから、「つねに負け」てしまっていたのである。それもほんとうに負けたのではない。自分のほうの主張の勢いがしぼんで、真実を語る気力が無くなっただけだったのだ。

こういう「負け」の認め方は、一種の韜晦ではあるのだが、日高の歌は、岡井の歌ほどの暗い背景を感じさせないし、自意識については、むしろこれを無化する方向性を持つように見える。岡井の場合よりもほのぼのと柔軟に、相手の強引さを余裕をもって受けとめ、そしてやり過ごしているようだ。

短歌における韜晦の表現も、このように大きな幅がある。韜晦は高度な技術を必要とするが、広く理解され、すぐに共感されるというよりは、読者の深読みを期待して仕掛けをして待っているということだろう。

第二二回　気味悪き生命

ルーテルの聖書には強く気味悪き生命《いのち》ありと言ひしヘッセも逝きき

『水木』高野公彦

今回は、高野公彦の初期作品をとりあげたい。

今の若い人は、高野公彦を「偉い歌人」と見るばかりで、あるいは最近の高野の比較的わかりやすい歌を読んで楽しんでいるばかりで、彼の本当に深い歌を味わっていないのではないか――そんなことを思うからである。

この一首など、話し出せば一篇の小説を書くにふさわしいことがらを含んでいる。私個人に引き寄せて言えば、この歌について物思うことが、四十年近く前の（二十歳をいくばくも出ていない）かつての私に大きな示唆を与え、短歌に深入りするきっかけとなった。個人的な思い出といえばその通りだが、そのときの気持ちを再現し、また今の私の考えで補足することで、読者の皆さんへのひとつの訴えができるのではないかと思うのである。

高野が引用した「ルーテル（＝宗教改革者のマルチン・ルター）の聖書」のくだりがヘルマン・ヘッセの著作のどこにあるのか、当時の私は知らなかったし、実は今も知らない。しかし、ヘッセの代表作『デミアン』には、次のような箇所があるのを、十五歳のときから知っていた（私の思春期は、ヘッセの影響下にあった）。


救世主の苦難と死に関する聖書の記述はずっと早くから私に深い印象を与《あた》えていた。小さい少年のころ、キリストの死んだ日などに、父が受難の物語を朗読《ろうどく》したあとで、私はよく深く感動して、ゲッセマネやゴルゴダの、悩ましくも美しい、青ざめた、気味のわるい、しかも極度に生き生きとした世界の中に生きた。そしてバッハのマタイ伝による受難曲を聞いていると、この不思議な世界の暗澹《あんたん》と力強い受難の輝《かがや》きが神秘的な戦慄《せんりつ》をもって私をひたした。

『デミアン』ヘルマン・ヘッセ（高橋健二訳・傍点筆者）

物語の主人公エーミール・シンクレールの独白だが、（多くの彼の小説がそうであるように）これはヘッセ自身の少年期の思いを述べたものだ。ここから〈悪魔を包摂する神〉

へと思想が展開してゆく。

高野は、こうしたいささかキリスト者らしからぬヘッセの思索に共感することがあったのだろう。そして、そのヘッセが死んだことを、聖書の中の「気味悪き生命《いのち》」の発見者の死として思いやったのだろう。

高野は若い頃、特定の思想に染まったことは無かったようだが、このように人の心の暗い部分を見つめることには注力したようである。これは、一つには釈迢空への傾倒として現れていたし、もう一つには般若心経など仏教への関心として見えるものがあり、また別の一つとしては、西洋の詩人の目を通しての瞑想のようなものがあったようだ。

ヘッセは、この最後のものの一例であったのかもしれない。ヘッセの中の西洋と東洋の混じり合ったものが、深いところで高野の共感を呼び起こしたようにも見える。

実は私は、この高野の一首を、歌集原稿の段階で読んでいる。高野は四十一歳、私は二十四歳のときだ。当時、『水木』の解説を頼まれた私は、この本の肉筆原稿をコピーでいただいたのだが、あの柔らかい不思議な字体で書かれた歌群を、そしてその中の「ルーテルの聖書」の一首を、そのときはじめて見たのだった。

『水木』の「あとがき」には、次の記述がある。

すでに『汽水の光』『淡青』といふ二つの歌集を私は出してゐるが、三番目に出ることの『水木《みづき》』は、その二冊よりも古い時代の作品を収めたもので、内容的には第一歌集といふべきものである。昭和三八年八月から四五年末まで（年齢でいへば二十二歳から二十九歳まで）の間に作つた歌群の中から約二九〇首を選んで、本書を編んだ。配列はおよそ制作順であるが、順序を少し変へた所もあり、また気の染まぬ作は推敲した。「解説」は、当時の私の年齢の途中にゐる若い坂井修一氏にお願ひした。

この時代の作品を読みかへしてみると、懐疑的、厭世的かつ厭生的、また内向的、といつたやうな自分の性向が、改めてつくづくと分つてくる。仕方ないことだ。私は、終始うつむきかげんに自分の青春を歩いてゐたのだつた。

今、思い出すに、『水木』時代の高野の「年齢の途中にゐ」た私は、「ルーテル」の歌に小さからぬ感銘を受けたのだが、解説の中でその内容に触れることができなかった。『デミアン』がすぐに浮かんだが、これを論じるのは、当時の私には難しすぎたのだった。しかし、「いつか私なりの鑑賞を示してみよう」とも思った。そんな反省もあって、今、ここでそれを試みている次第である。

『デミアン』は、最初、主人公のエーミール・シンクレールの自伝の形で上梓され、著者がヘッセであることは伏せられていた。時代は、第一次大戦が終わった直後、つまりドイツが手痛い敗戦を喫して、立ち直れないでいた時だ。「シュペングラーの『西洋の没落』と並んで、迷えるヨーロッパ青年層たちに大いなる衝撃を与えた」（同書解説・高橋健二）と言われている。

短歌は淡々とヘッセの死に触れただけのようだが、先に示したように、ヘッセと高野の間には、ルターを介して無意識界での細い絆のようなものが感じられる。言葉の裏をふっと横切る影のようなものが見えるのである。

では、「強く気味悪き生命《いのち》」。それもルター訳の『聖書』に秘められたものとは、何だったろうか。

詩人の直観がとらえた何かだが、これは善悪や利害では測れない、人間の深部の渾沌であろう。キリスト教の教義の奥底にある泥のようなものといってもいい。どんなに信心深い人でも、曰く言いがたい、底なし沼のようなものを心に飼っている。それをルターは見つめ、ヘッセは共鳴し、高野公彦は意識（あるいは無意識）にとどめていた。ヘッセの死を聞いた高野には、これが蘇ってきたのだろう。

線路わきに出せる骸《むくろ》と駅員らしづかに電車の通過待ち居る　『水木』高野公彦

この「骸」は、犬など動物の死骸ではないかと思うが、ここでは駅員と対等に並置されて、音もなく電車の通過を待っている。本人が「うつむきかげん」という通り、いかにも内向的な歌に見えるが、とても不気味な一首に仕立てられている。

この不気味さのみなもとは、上句「線路わきに出せる骸《むくろ》と駅員ら」の一見しておとなしい順接接続の言葉の連携にある。読者は、この上句（だけ）を、何度か舌の上でころがしてみてほしい。

ここには、冒頭掲出した「強く気味悪き生命《いのち》」と同じ何かが感じられるのではないか。それも、昭和四十年前後を生きる現代の若者の目で捉え直された何かではなかったか。

父の村ひとかげ見えず春昼《しゅんちゅう》の海へささやく拡声器あり　（歌集未収録）高野公彦

これも不気味な歌だ。

高野はごく若い頃にこんな歌を作ったのだが、なぜか『水木』には収めなかった。私がこの作品を知っているのは、四十年前に、岩田正が、「高野公彦は、俺よりうんと若いが凄い奴だ。この歌の静かに迫る薄気味悪さはどうだ」と言いながら、教えてくれたからだ。人のいない春の海辺。スピーカーが何ごとか語りかけるように声を発している。ラジオのニュースか。正午の合図か。あるいは、どこかでボヤでもあったのを報告しているのか。

この拡声器の声の呼び覚ますものは、先の歌の「強く気味悪き生命《いのち》」「線路わきに出せる骸《むくろ》と駅員ら」と共通するものだろう。

この一首は二句切れだが、『万葉集』の二句切れのように弾むリズムを持っているわけではない。沈潜するような韻律の中で、なにげない海辺の風景が、人間の内面へと転じてゆく。

「父」「村」「ひとかげ」「海」は和語。「春昼」「拡声器」は漢語——たくさんの名詞を一首に封入しながら、柔らかな和語と鋭い漢語を使い分けている。全体が順接の調和に満ちながら、奥のほうで大きな違和感が醸し出される。その違和感が、そのまま作者の見ている世界への違和感、作者自身への違和感に寄り添っている。

それにしても、高野公彦は、なぜ「父の村」の一首を歌集に収めなかったのだろう。

第二三回　カレーの市民

私が短歌を始めた頃、小池光さんは、第一歌集『バルサの翼』でデビューしたばかりだった。この歌集には、次のような作品が収められている。

つつましき花火打たれて照らさるる水のおもてにみづあふれをり

いちまいのガーゼのごとき風たちてつつまれやすし傷待つ胸は

『バルサの翼』小池　光

物静かな中に翳りをかかえた歌であり、表現もおとなしそうでいてとても鋭い。こういう歌に、二十歳の私は惹かれたのだった。

一首目の上二句は、人ではなく、「花火」が主語である。花火はモノなのだから、自分で動くことはできない。当然、「打たれて」と受け身になる。ところがこの当然が、意外に深い意味をもつ。読者はどうしても「花火」に作者自身を見てしまうからである。そう。この「つつましき花火」は、なんらかの理由で主体性を剝奪された主人公と重なってくるようなのだ。

二句から三句は「て」でつなげられており、ここに小休止がある。ここで主語が「花火」から「みづ」に転換するのである。「みづ」もモノだ。人間ではない。そしてこの下三句も、「照らさるる」と受け身である。

「水のおもてにみづあふれをり」。誰でも見慣れた景である。「水」「みづ」と表記を変えて言葉を重ねているのは、最初の「水」が広い空間を占める母体であり、後の「みづ」はそこから切り離された部分ないし個を表すからだろう。ここでも、読者は「みづ」に作者自身を重ねて読んでしまう。

この一首、モノだけが出てくる。そのモノたちは受け身で詠われて、孤独な人間の内面を暗示する。「花火」は一瞬つつましい光をもち、「みづ」はその光に照らされつつ母体の「水」からあふれ出してくるのだ。

作中主人公の心のありかは、周到な修辞の中で、遠回しに読者に伝えられる。意味内容だけでなく、間接的な表現法に作者の位置取りが透けてくるというわけだ。

二首目。「いちまいのガーゼのごとき風」が「傷待つ胸」を包む。自然といえば自然すぎる言葉の流れの中で、存在の悲哀のようなものが語られている。

この歌でも、作中主人公は、受け身の存在だ。現実の世界に対して積極的なアクションを起こそうというよりは、これから自分の身に起こるさまざまなことがらを待ち受けて、傷つきながら、社会や人間の普遍相を見つめていこう、という態度。

二首に共通するのは、「つつましき・花火」「傷待つ・胸」と順接の修飾をしながら、逆説的なつながりをもつ表現だ。この詩的修辞と論理との齟齬が、感受性豊かなまっとうな人間が入ってゆかざるを得ない心の領域を暗示している。人工的といえば人工的な修辞を折り重ねることで、この領域に生じる光と影を浮かび上がらせようとしている。

『バルサの翼』の小池光は、人生の傷を直接述べるのではなく、身近な景に溶かし込みながら、繊細に、静かに、それこそ「いちまいのガーゼのごとき風」が「傷待つ胸」を包みこむように詠ったのだった。

雛鳥を昨夜《きぞ》死なしめし朝ながら胸拭きわれはくりかへし生きむ

『バルサの翼』小池　光

雪に傘、あはれむやみにあかるくて生きて負ふ苦をわれはうたがふ

こちらは、「われ」のある歌。作中主人公は受け身ではなく、みずから動いている。そして、自ら「生き」ようとしている。

一首目の「雛鳥」は、文鳥のような小鳥だろう。句切れのないなめらかな表現の中に、「朝ながら」の屈折があり、生きる意欲を失いがちな「われ」が、それでもなお「くりかへし生きむ」と自らを立たせようとする。

この歌では、上句の「死なしめし」と下句の「くりかへし」がよく響き合っているようだ。このことが、死んだ雛鳥と生きる自分との対比につながっている。

単純な対比ではない。理不尽で過酷な生を負っているのは、雛鳥も自分も同じなのだ。同じなのに、雛鳥は自分のせいで死に、自分は「くりかへし」生きようとしている。

主人公は、人並み以上に雛鳥の世話をしていたのだろう。でも、その甲斐なく死なせてしまった。深いあやまちがあったわけではないが、それでも罪の意識は残る。

自分の生も、事故や病気によって、いつ終わりになるかわからない。この世界では、人々の思惑や目には見えない自然の摂理が働いていて、動かしがたい運命の渦を作ってい

ることだろう。

二首目。初句「雪に傘」は、「傘に雪」ではない――歌舞伎か演歌の一場面・ヒトフシのような出だしだ。ちょっと芝居がかった初句切れの後、あとの四句はなめらかに、一気に詠まれてゆく。

世界の雑多な色と雪の白。苦に満ちた生と一瞬の放心。ポジとネガが交錯する景だが、どこか戯画的でもある。二句三句の「あはれむやみにあかるくて」とひらがな表記のたどたどしい言い回しが、主人公が日頃まとっている〈構え〉を解くように働いてもいる。


口あけて怒る〈カレーの市民〉達たをたをと倭《わ》のしめりは濡らす

〈カレーの市民〉。ロダン作のこの像は、百年戦争で降伏し、犠牲になろうという六人の英雄を彫ったものだ。十二体が鋳造され、その一体が上野の西洋美術館にある。

ロダンは、カレーの市民を英雄らしい英雄としては描かなかった。苦悩や悲しみに打ちひしがれ怒りをあらわにした人々として、人間らしい存在感をもって彫り上げている。

その像も、湿度の高い日本の庭に置かれると、周囲との間に齟齬をきたすもののようである。日本の風土は、この像が本来もたない「たをたをと」した湿り気をもたらすのだ。

小池光は、この歌で何を語りたかったのか。それは読者の想像に任されているが、歴史上の事件への感想や、ロダンへのオマージュではないだろう。

私は思う。ここには、同時代の若者、特に日本社会に深い失望を味わった若者の悔しさや悲しみが溢れているのだと。

百年戦争から後も、フランスは〈市民〉が躍動する国だった。カルヴァン派の台頭とユグノー戦争。フランス革命とナポレオン。幾度も交代する君主制と共和制。ナチス支配へのレジスタンス。そう。フランスは、血で自由・平等を勝ち取ってきた、〈市民〉の国なのだ。

日本はそうでなかった。封建制から明治維新へ。第二次大戦の敗戦から安保・学園紛争へ。いつまでたっても、自立した市民の社会はできなかった。〈カレーの市民〉は、湿った季節風に吹かれるこの国で、芸術として称揚されはしても、浮いた存在でしかないのだ。

このような歌を通して、小池光は、塚本邦雄や岡井隆とは違う、佐佐木幸綱や福島泰樹とも違う、高野公彦とも違う、新しい極を現代短歌の世界にもたらす人として、私には意識されたのだった。

をりをりにリップクリーム塗ることあり六十七歳のわがくちびるに

『梨の花』小池　光

野州小山《おやま》の駅のホームの立ち食ひそば慈悲のこころの沁みてうましも

伯耆の国より送られきたる干柿はわれに食はれて種のこりたり

最新歌集から引いた。

これらの歌は、今の歌壇で作られる作品の中では優れた部類に入るし、先の『バルサの翼』に比べても、作為が見えずすっと読者の心に入ってくる。良い歌と思う。

いっぽうで、私のような読者は、小池光にはこうした歌とは別のものを期待し続けたいという願いがある。それは、同時代を生きる者としての、新鮮な世界観だ。

リップクリームも、立ち食い蕎麦も、干し柿も、本当に「わがくちびる」「慈悲のこころ」「種のこりたり」で収斂していくものなのか。万人にとってそうであっても、小池光ならばもっと違う場所があるのではないか。

かつての「花火」や「ガーゼ」や「〈カレーの市民〉」は、今はいったいどこにしまわれているのだろうか。

第二四回　航　跡

ある歌人に出会うタイミングというのは、おもしろいものだ。

私の場合、前々回・前回にあげた高野公彦さん、小池光さんは、本人とはじめてお話しする前に歌集を読み、好きな歌を書き出して暗唱したりしていたので、だいたいのイメージができていた。

いっぽうで、馬場あき子、岩田正、三枝昂之、小高賢、今野寿美といった人たちは、本人のほうに先に出会い、歌は後からだった。それぞれが強烈な個性の持ち主なので、歌よりも生身の人間のほうに仰天させられることが多かった——出会って四十年以上経つ今振り返って、苦笑しながら、そんなことを思う。

潮はいくたびわが肩洗いさまざまな舟の航跡よみがえらしむ　『水の覇権』三枝昂之
強権に確執を醸す……平成のおおかたはその由来を知らず　『遅速あり』同

最初の歌は、私が三枝と出会った頃、彼が三十歳を出たばかりの作だ。後の歌は、去年出た歌集の歌。七十前後のものだろう。

若い頃、三枝は、学生運動に身を投じ、尖鋭な思想詠をもって歌人として出発した。今の（本稿執筆当時）彼は、よく知られている通り、日本歌人クラブの会長で大新聞の選者――短歌の世界の中心人物の一人である。

今は亡き菱川善夫さんは、三枝の歌人としての軌跡を挫折と転向ととらえていらっしゃった。生活態度や思想のありかた、歴史観の変遷などを観察すれば、そういう見方になるのかもしれない。

詩歌は、もちろん論理としての意味内容を含んではいるが、調べや情感によって物を言うジャンルである。論理を大切にしながら、揺れる心情を吐露する、そんな文芸のありかたは、西洋ならホメロス以来、日本なら記紀以来、人間の心にはりついてきたものだろう。

掲出の二首は、四十年の時を閲してもなお、三枝の歌人としての物の見方、筋の通しかた、表現のありかたが一貫したものであることを読者に知らせてくれる。

一首目。この歌の主語は、（海の）「潮」だ。

海で泳いだり、ボートを漕いだり、舟の上で波しぶきを浴びたり。まずはそんな場面が浮かぶだろうか。

潮に触れて「さまざまな舟の航跡」を思う。そんな感覚から思索への転換は、三枝という人間の癖なのだろう。

「さまざまな舟」か。『水の覇権』の「あとがき」には、南方から日本列島へ移住した太古の人々への思いが述べられている。たしかにそうした大きな感慨も、人間の歴史全般への思いとして評価して良いように思う。「舟」という字からは、タイタニック号のような巨大なものは想像しにくいが、白村江に向かう大和の軍船などは想像できるかもしれない。私たちの先祖は、そんな「さまざまな舟」に乗ってずいぶんと無謀なことをやってのけた。そのときの高揚感や恐怖感を三枝は想像し、わが身に引きつけて反芻していたのである。

二首目。「強権に確執を醸す」とは、三枝自身が語っている（「短歌」令元・6）ように、彼の研究してきた石川啄木に由来する言葉である。


　我々日本の青年はいまだかつてかの強権に対して何らかの確執をも醸《かも》したことがないのである。したがって国家が我々にとって怨敵となるべき機会もいまだかつてなかったのである。そうしてここに我々が論者の不注意に対して是正《ぜせい》を試みるのは、けだし、今日の我々にとって一つの新しい悲しみでなければならぬ。なぜなれば、それはじつに、我々自身が現在においてもっている理解のなおきわめて不徹底の状態にあること、および我々の今日および今日までの境遇がかの強権を敵としうる境遇の不幸よりもさらにいっそう不幸なものであることをみずから承認するゆえんであるからである。

『時代閉塞の現状』石川啄木（傍点筆者）

大逆事件に衝撃を受けた明治末年の啄木は、日本の青年に近代人の自覚が乏しく、あるいはそれが最初から剝奪されていることを舌鋒鋭く指摘することとなった。それがこの文章である。

日本のナショナリズムは、明治維新から日清・日露戦争を経て先鋭化していくが、その過程にこうした文章が書かれた。「強権に確執を醸す」とは、反権力の意識を持つことを意味するのだが、では、第二次世界大戦や安保闘争、高度経済成長、バブル経済とその崩壊を経た現状はどうなのだろうか。

明治末の桂太郎内閣の頃に「強権に確執を醸す」の言葉は生まれたが、この言葉の由来を今知る人はほとんどいない。それと軌を一にするように、日本の青年の精神は、啄木の頃とさほど違わないように、権力の圧迫に対して無自覚になってきているのではないか。いやいや。自民党政権の長期化に伴う弊害に危機感を覚える人は多いのではないか。「強権に確執を醸す」気持ちを持つ人は少なくないのではないか。

そういう反論もあるかもしれない。

この歌にはもう一つ伏線がある。作家の大江健三郎が、この「強権に確執を醸す」に触れて、かつて次のように述べたことがあったのだ。

今から五十年まえ、私とおなじ年齢で死んだ日本の文学者に石川啄木という秀れた詩人がいる。かれが死ぬまえに書いたエッセエの一節に《われわれ日本の青年は、いまだかつてかの強権にたいして何らの確執をもかもしたことがない》という批評がある。われわれ五十年後の日本の青年は、とにかく強権に確執をかもしたのだ、この叛逆精神、抵抗精神は、われわれにとって確かに血肉となっているにちがいないと信じたい。

「強権に確執をかもす志」大江健三郎「世界」昭36・7

このとき、大江は、前年の安保闘争に触れ、戦後の青年を啄木の時代と比較して、「強権に確執を醸した」と評したのだった。

歌に戻れば、作者三枝昂之の中では、啄木の言う通り「強権に確執を醸す」ことのできなかった近代青年、大江の言う「強権に確執をかもした」昭和（戦後）の青年、そしてそれらを忘れた平成の人々、という整理ができていた。結果、こういう作品になった。

流れとしてはそういうことなのだろう。

ちょっと驚くのは、三枝が本作に詞書や後注をつけず、「強権に確執を醸す」に引用符をつけなかったことである。つけないことによって作歌の意図を示す——それは今の作者自身の立ち位置を象徴することかもしれない。

＊

三枝昂之の二首は、四十年の時間を経ながら、共通のものが多い作品だ。主題として、大きな歴史の意識がある。未来に向けてなにごとか残そうという強い前向きな意志とその困難と。

いっぽうで、三枝の言葉の癖もまた顕著だろう。一首目の「さまざまな」、二首目の「おおかたは」。こうした抽象化し、総括する言葉の運び方については、是非のあるところだ。

そう。こうした抽象化や総括は、ともすれば上から目線を感じさせて、作品評価において損をしがちである――三枝昂之のこうした言葉遣いについて、私は以前から心配なところがあった。

しかしながら、三枝が「さまざまな」と言うとき、私は、できるだけそこに個別のものを見たいと願ってもいた。総括したがる彼の癖の中に、ワン・オブ・ゼムとしての一人一人の意地を観ておきたいと切望してきた。

人間の歴史は、英雄のものではなく、エリートのものでもなく、天才のものでもない。名もない庶民のものなのだ。表現者は、後者の代弁者としてあるとき、いちばん輝く作品を残してきた。

柳田國男『海南小記』にまぼろしの島をみた人々の話がある

おみな一人鍋を忘れて残りたる波照間のはての南波照間　『遅速あり』三枝昂之

その昔、重税に苦しむ波照間島の島民数十人が、伝説の南波照間島を目指して船出していった。しかし、ただ一人、鍋を忘れた女がこれを取りに戻って置き去りにされた。彼女は「取り残されて嘆きもだえ足ずりし、浜の真砂を掻き散らした」（柳田國男『海南小記』）といい、地名「鍋掻《なべかき》」の由来になったという。

石川啄木や大江健三郎はもちろんすばらしい業績をもつ文芸家だが、彼らの存在は、歴史の代弁者としてのものであって、歴史の主人公はこの歌の「おみな」のような存在ではないか。「さまざまな舟の航跡」に加われなかった無名の「おみな」の悲しみが下句の心地良いリフレインと重なるとき、三枝昻之というひとを、私はとても親しいものと感じる。

第二五回　土偶

篠弘といえば、かつて小学館の名編集者であり、後に同社の役員となって大活躍した人。同時に、短歌評論家・短歌史家として歌壇をリードし続けた人物だ。

そんな〈偉い人〉のイメージが強い篠さんだが、最近になって、歌詠みとしての篠弘が、実業家でオピニオンリーダーの篠弘を凌駕するようになったと思う。

篠さんには失礼なお話かもしれないが、彼の第十歌集『司会者』を読んで、これが確信に近い思いになった。

いのち賭けて取材をしたることのなき老編集者《エディター》は寝酒に酔へり　『司会者』篠　弘

会員をテロより救はむメッセージ役立たざると知りつつ発す

人質にされし後藤がつぶやけるネットの声を零下に聴けり

企業内ジャーナリストを超えむとし灼けつく砂の嵐をまとふ

ＩＳＩＬ《アイシル》へ入りしを責むる声にのり当初から国が怠りて過ぐ
果たせざりし声明なるを読みかへし仁丹の粒に舌痺《しび》れをり　　『司会者』篠　弘

後藤健二氏を歌った一連から。

後藤氏は、フリーのジャーナリストとして中東の取材で活躍したが、二〇一四年秋にイスラム過激派組織ＩＳＩＬ（イスラム国）に拘束された。

後藤は、篠さんが会長をつとめる日本文藝家協会の会員であった。二〇一五年一月二七日、ＩＳＩＬの誘拐に対して、同協会は釈放を訴える声明を出している（二首目の「メッセージ」がこれだ）。

その三日後の一月三〇日、後藤は、ＩＳＩＬによって殺害された。そして、殺害シーンと見られる動画がインターネット上で公開されたのである。

篠の一連は、出版社や日本文藝家協会での立場を超え、歌人として一歩を踏み出した詠いぶりを示している。これは、われわれが想像するよりも、ずっと勇気が必要なことと思う。

後藤氏を案じ、少しでも力になれればと声明を出し、同時に巨大な無力感に襲われもする。

酷い行為をやめないＩＳＩＬを非難し、救済に向かわない日本の国家を批判しつつ、何より自分の弱さを自覚せざるをえない。

ここで、「取材」「企業内ジャーナリスト」「声明」といった散文的語彙が、「寝酒に酔へり」「役立たざると知りつつ」「灼けつく砂の嵐をまとふ」「仁丹の粒に舌痺《しび》れをり」といった人間的な表現によって塗り重ねられているのは、大きな意味がある。老編集者・老文芸家の嘆きと言えばそれまでだが、こうした人間らしい葛藤の表現が現れるのを、私などは格別に貴重なことと思った。

私自身の過去の言動についても、人間としてどう評価・反省すればよいのか、考え直すきっかけを与えてくれる一連であった——そうなのだ。指導者としての篠さんから学ぶこともたくさんあったが、本当に学ぶべきことは、こういうことだったのだ。

たなぞこになじむ石斧《せきふ》のなめらかさ胡桃割りたる香り残すや
ファックスはみな裏紙に写されてその裏紙が舌を出しくる
まほろばを夢見るごとき蠍座のその尾あらはる春のはじめに
われに向きてもの言ふ人とうつむきて呟く人あり米噛《こめか》み動く

これらの歌には、善悪をわきまえ、酸いも甘いも嚙み分けられる者が、その善悪の皮膜の部分をそっと吟味する、そんな面白さがある。

凶器にもなる石斧に、あえかな胡桃の香を嗅ぐ。節約のために裏紙を使うファックス。その裏紙が出てくるのを「舌を出しくる」と擬人化する。ヤマトタケルではなく蠍座がまほろばを夢みる。自分に抵抗を示す人々の表情を観察する。日本文藝家協会会長として、著作権など許可申請の遅れた図書館を大目に見る。

これらの歌は、白でも黒でもない。グレーゾーンを点検しながら、いつしらに人情の世界に踏み込んでいく。そんな成熟した人間の味を醸し出しているようだ。

こういう篠の歌は、激しく厳しい社会で生きてきた人間が、その激しさや厳しさはそのままに、人間的な揺れや優しさを示すという、複合的・立体的・総合的な詠法を示したものと言え、長寿時代の熟年の新しい短歌と呼んでよいのではないかと思う。

＊

『司会者』の中で、私が一番好きだったのは、次の作品だ。

稿ひとつ終へたりしより読みかへす土偶に祈る被災者の歌

「被災地に思ふ」と題する連作十首の八首目の作品である。一連は、「みちのくの漁師は泣けり海をさかる高台集落に移るをいなむ」に始まる、東日本大震災の被災地の人々に取材した作品群だ。

私自身も自分の著作の中で書いたことだが、死者の数や倒壊家屋の数、自治体や電力会社の損害など、数字で表すだけで被害の実態はわからない。人間の心に肉薄しなければ。海沿いに住んできた人々が、震災の津波で家を流され、高台への移住を強いられる。漁師として船に乗るにあたっての不自由、波音にいそしんできたのにこれが聞けなくなる悲しみ、そして掲出のような祈りが、被災者の心の声なのだった。

宗教を持たない私は、〈神〉の歌はいくつか作ってきたが）祈りを持たない。作者の篠が宗教を信じているかどうか、私は知らないが、持っていても、太古の「土偶」に祈るものではないだろう。

縄文時代、東北地方は今よりずっと温暖だった。三内丸山など、土偶の出土する遺跡が随所に見られる。この土偶に代表される縄文の文化が、東北の人々にとって、一つの心のよりどころとなっていることは理解できる。

篠は、根詰めて原稿（おそらく短歌評論の原稿）を書き終えた。ほっとしたそのとき、自分が選歌した被災者の歌を思い出したという。

この「終へたりしより」から「読みかへす」に至る心理の動きがとても自然で、深みを感じさせられる。

篠は、土偶に対して祈りをささげる無名の被災者に対して、愛情を覚えている。もしかしたら、畏敬の念すら抱いているかもしれない。

かつて百科事典の編纂者として、昭和の知性を集結させた理性の人は、ここでは不合理きわまりない、得体の知れない「土偶」に祈る人を、心から思いやっているのである。

たとえば、三十年前の私だったら、この歌を、近代合理主義を否定する歌として批判したかもしれない。じっさい、その頃の私は、岩田正や馬場あき子を相手にして、そういう言い合いをしたことがある。

それも、一度や二度ではなく、だ。

今の私は少し違う——篠弘は、現代人たること、合理主義の市民たることを捨てていない。偶像崇拝をそのままに肯定しているわけではないのである。

合理主義者が、こうした祈りに共感をもつ。この姿勢にこそ、私たちの心の文化が豊かさを保つための秘密が隠されている気がする——私はこの歌を読んで、そんな気持ちにさせられた。

＊

ＡＩ（人工知能）がもてはやされる昨今であり、短歌もＡＩが作れるのではないか、という議論がかまびすしくなった。

たしかに、ＡＩはかつてない勢いで、人の作業を代替しつつある。碁や将棋、金融、工場のライン、受付事務など。しかし、今のＡＩには、奪えない領域がある。言うまでもないことだが、それは、因果律では割り切ることのできない、一見して不合理な心の領域だ。そんなものは二十一世紀のこれからの社会には必要ない、と、これを切り捨てる動きが、現在盛んになっているように見える。しかし、どうだろうか。

合理主義者篠弘の「土偶」の一首は、こうした世相に対して、根の深い留保を示しているようにも見える。人間の心の豊かさは、一見不合理とも見える祈りの中に残されている。これをそのまま篠や私の中に蘇生させることはできないだろうが、間接的になにかのヒントを与えてくれてはいる。そんな考えを、篠は私にもたらしたのであった。

第二六回　悲しみの雨の向こうで

八年前の春、今はもうない六本木のスイート・ベイジルで、岩崎宏美さんが歌うのを聴いていた。

「ファンタジー」。「熱帯魚」。「思秋期」。「シンデレラ・ハネムーン」。そんな十代の曲から、大ヒットした「聖母たちのララバイ」や「家路」。

岩崎さんは、私と同年同月（昭和三三年一一月）生まれ。長く歌手をやってこられて、彼女の歌う歌謡曲はずっと身近にあった。テレビドラマに出て高視聴率を取ったりもしたが、何といっても天性の歌うたい。女優といえば、「レ・ミゼラブル」のファンテーヌ役で知られるミュージカル女優なのだ。

ステージの上の岩崎さんは、終始にこやかで、歌の合間には、大阪で針治療を受けているときに地震にあった話をしたり、ちょっと変わった沖縄の弦楽器を鳴らして「これなら私でも弾ける」とおどけてみせたり。

終わり近くになって、岩崎さんは、「虹～Singer～」を歌った。

私は、彼女の持ち歌の中で、これが特に好きだ。さだまさし作詞作曲でかつて雪村いづみが歌ったのをカバーしたもの——雪村さんの歌唱もほんとうにすごいのだが、同世代への共感の意味も含め、私にとっては、岩崎さんが歌うのが一番なのである。

全てを手に入れたり　全て失くしたり
あなたまで　ひきかえにして
歌い手は　虹のように
悲しみの雨の向こうで　咲くものかしら

「虹～Singer～」作詞・さだまさし

岩崎さんは、本当にそういう人生を歩いてきた。「スター誕生」で合格してデビュー。華々しい活躍をした後、立派な紳士と結婚。ところがこれに失敗し、子供たちから引き離される。親友の本田美奈子さんや作詞家の阿久悠さんを亡くす。さらにこの歌を収めたCDのリリースの後、恩師の松田トシさんを失っている。

岩崎さんの歌声を聴くたび、それぞれの曲が流れていたときの自分の人生のシーンが浮かぶ。「虹～Singer～」は、その総決算の位置にある曲で、彼女自身はもちろん、彼女の歌声を聴く私にも、格別の思い入れがあるのだ。

こんな曲を聴くと、プロの歌手はつくづくすごいなあと思う。あるときは全てを手に入れ、あるときは全てを失う。恋人や配偶者を含めてそう。悲しみという悲しみを直接引きうけて、その経験を自分の中で反芻しながら、たくさんの観客をうならせる歌を歌う。

昨今の歌人は、表現者として、ここまで鮮やかにわが身をささげているだろうか。

ここで、次のような歌を思い出す。

さくら山さくらの森のさくら川髪ざんざんとうち振り洗ふ
関のこゑどつと起れり　見まはせば四囲《めぐり》はしんと桜木ばかり

『桜森』河野裕子

河野裕子の人生と短歌。私がここで論じることでもないだろうが、まだ三十代の頃のこういう歌を読み返すと、やはりこの人は全身で世界を受け取り、それを言葉にして、全身で打ち返す人だったのだな、と感じる。

歌手の人生にくらべると、河野裕子の人生は見かけ上非凡なものではなかったろう。でも、表現はじゅうぶんに非凡だ。さだまさしにも負けていない（今、さだまさしの詩に負けない歌人が何人いるというのだろう）。

私が河野裕子さんにお会いしたことは、数えるほどしかない。面と向かってお話ししたことは、二回か三回だと思う。

「あなたも、理系の研究者なのね。それで歌を本気でやるのね、両方やり続ける苦労を引きうけるのね」

初対面のときだったか、悲しそうな目をしてそう言われた。目だけではない。額も、肩も、両腕も。河野さんは、こういうお話をするときも、短歌と同じように、全身で感じ、全身で表現されているようだった。

しかし、だ。私のした苦労は、河野さんの旦那さんである永田和宏さんとは、全然違うものだった。理系の研究者だって、いろいろな種類がある。職場の環境も場所ごとに全然違う。短歌も、世代や環境によって、なにより作家の性格によって、まったく異なったものになる。

＊

岩崎宏美さんの歌に戻ろう。

I'm a singer　虹になりたい
ひとときの主役《ヒロイン》　演じてそして
I'm a singer　振り返ったら
幻のように　消え去るもの
誰かのしあわせと　入れ違いに

「虹～Singer～」作詞・さだまさし

私たち歌詠みは、果たして「虹」の主人公に近いものなのだろうか。そんなことを考えてみる。

そして、次のような短歌を思い出す。

藤の花空より君が流すなる涙と見えて夕風ぞ吹く
君がある西の方よりしみじみと憐むごとく夕日さす時

『白櫻集』与謝野晶子

これらは、「冬柏」昭和一〇年五月号に掲載された「寝園」と題する連作一〇六首の中の作品である。

この年の三月二六日、晶子は夫の与謝野寛を肺炎により失った。「寝園」は寛に寄せる挽歌集なのであった。

夫は今やこの世ならぬ天空におり、西方（浄土）にその身を置いている。はるかな場所にあって、自分自身や残してきた妻の晶子の身を思えば、自然に涙も流れようというもの――まさにそんなふうに、晶子のいる現実世界では、寛の涙のように藤の花が咲き、寛の思いのように夕日がさしている。

今ここで「虹～Singer～」に寄せてこれらの挽歌を味わうとき、作詞家さだまさしの意識した〈歌手〉にあたるのは、晶子ではなく、寛のほうだ。

与謝野寛は、若い日から死ぬまで、世俗的なごたごたを抜けられなかった人だったが、晶子の連作挽歌「寝園」の中では、詩歌の革命児として、新時代の指導者として、なにより晶子の夫として、純化を遂げているのだった――そして、私の中では、その純化した姿が、「虹」の主人公と重なってきたのである。

＊

一生を短歌という文芸に捧げることは、わが身を「虹」に変えてしまうことかもしれない。作品を読者に差し出し、自分は「幻のように消え去るもの」なのかも。

優れた作品は、作者のものではない。作者の死後何十年、何百年と生きながらえ、無数の読者の心をうるおすものなのである。
これは当然といえば当然のことなのだが、多くの実作者が忘れてしまうことでもある。彼らは、我執の縄でがんじがらめになり、みずからを潰してしまうのだ。

時々ふとラジオから　先に逝った友達の
なつかしい唄が　流れることがある
そうだね永遠に　歌い続けてる
しあわせ？　ふしあわせ？
誰に負けてもいいの　自分に負けたくないの
だってそれがいつか　思い出に変わった時
目をそむけないで　いたいでしょ
私はまだ　旅の途中

「虹～Singer～」作詞・さだまさし

「先に逝った友達」。私たちの意識する歌人は、大多数が死者である。死者の歌は、折々に生者に新しい感動をもたらし、ときに生者を覚醒させもする。

「自分に負けたくない」。これが一番むずかしい。私たちは自分の限界を、自分の能力よりも低く設定しがちだ。そのほうが安全で楽だから。

「私はまだ旅の途中」。これも疑いの余地ない事実。歌人は生涯現役。お気楽なご隠居の歌を歌うようになったら死んだも同然だ。

そして、私たちができるのは、最初に引用した「悲しみの雨の向こうで咲く」ことだけだ。歌を作ることで得られる名誉とか、本を売ったり歌を教えたりすることで得られるお金とかは、けっきょく何の意味もないのだ。私たち自身の存在は、そっと咲いて忘れられるもの。そして、刹那のきらめきとしての作品が残るだけなのだ。

こう言えば、いかにも小さな情けないことのようだが、「悲しみの雨の向こうで咲く」ことは、人の世でめったにない奇跡でもある。そのチャンスがあるだけ、私たちは抜群に恵まれた存在だということだろう。

うたびとに幸あれ！

JASRAC 出 2106209-101

第二七回　ジャズ

前回、岩崎宏美さんの曲についてお話をした。音楽との出会いは人さまざまで、一人の人にかぎっても、ジャンルによっても出会い方はいろいろあるのだろう。

私のジャズとの出会いは、二〇一一年、ＮＨＫの濱中博久アナウンサーの導きによるもので、五十歳を過ぎてからのこと。それまでは歌謡曲、ロック、クラシックしか聴いていなかった。

濱中さんは、ＮＨＫ　ＦＭのジャズ番組「セッション」の司会で知られる。学生時代は自らもベース奏者として活躍された。「ＮＨＫ短歌」のゲストとして島田歌穂さんをお招きしたとき、彼女が「ラッシュライフ」を歌うのを観てとても良かった、という話をたまたま私がしたところ、「坂井さんはジャズに興味がおありですよね」と返されたので、「ええ、まあ」などと生返事したのが運の尽き。あれをお聴きなさい、いや、これをぜひお試しなさい。ビル・エヴァンス「ワルツ・フォー・デビー」を聴かずに人生を語るなかれ。

ビートルズばかり聴いていないで（坂井註・私はビートルズではなくイエスの愛聴者です）マイルス・デイヴィスの「ビッチェズ・ブリュー」も手にとりなさい。コルトレーンも、キース・ジャレットも、ソニー・ロリンズも、とにかく聴いてください。日本人も、小曾根真や上原ひろみはじめすばらしい人が何人もいますよ。歌人・坂井修一にも新しい展開をもたらすはずです。

——とまあ、こんな具合（実際はもっと強烈でした）。こちらはもう人生後半戦で遅まきながらなのだが、引っ込みがつかなくなってしまった。ネットでジャズ入門サイトなど見つつ、CDを買ったり借りたりしながら、聴いたアルバムをエクセルの表にして、毎月メール添付で濱中さんに報告することになった。

半年で百枚ぐらい聴いたところで、ようやく「話ができる状態になった」と思われたのか、濱中さんからレクチャーを受けるようになった。濱中さんには、翌夏の「東京ジャズ」の券を送ってもらったりした。

＊

「次回のゲストは、ジャズピアニストの守屋純子さんです」。「NHK短歌」の細木美奈ディレクターからメールが来たのが、二〇一二年の秋。放送は一二月だった。このときに、彼女の「A Thousand Cranes」(千羽鶴)という曲に、次の短歌をつけた。

わかき鶴たちあらはれて翔びゆかむ守屋純子の鍵盤の上

『縄文の森、弥生の花』坂井修一

「A Thousand Cranes」は、広島の「原爆の子」のモデル佐々木禎子さんにちなんで作曲されたもの。二歳のときに被爆した佐々木さんは、十二歳で白血病で亡くなった。死の床で千羽鶴を折り続け、これがレジェンドとなった。

ピアニスト守屋さんの叔母さんにあたる守屋敦子さんが、このお話を『ドゥ・ユー・ノウ・サダコ?』という本にした。オーストラリアの小学校を訪れた敦子さん、現地の小学生が皆、佐々木禎子さんの「千羽鶴」の話を知っているのに、多くの日本人(の子供)がこれを知らない。そこで、敦子さんは、自分で出版社を作って、この本を世に出したのである。

純子さんの曲は、このお話の続きであり、また、彼女自身の思いを新しい解釈で抒べたものだ。原爆の悲劇を受けながら、新しい世代の希望を歌い上げた美しい旋律に、私なども心動かされるものがあった。

「NHK短歌」が放映されてから、守屋さんは、「A Thousand Cranes」を演奏するたび、この一首を紹介してくださるそうだ（私自身も、幾度かその場に居合わせた）。守屋さんといえば、セロニアス・モンク・ジャズ・インスティチュートで一位をとった日本のジャズを代表する人――短歌をやる喜びは外の世界にもあることを、改めて知らされた。

＊

ジャズをかじったことのある人ならよくご存じの通り、守屋純子さんは、ビッグバンドのリーダーとして国際的に活躍されている。この間、長谷川等伯の絵にちなんだ組曲を作り、「Art in Motion」というアルバムを出された。多くの新聞でとりあげられているので、お読みになった方も多いだろう。

この組曲が何であるのかは、CDを聴いて理解していただきたいのだが、コンサートでの彼女のコメントがとてもおもしろい（歌人の皆さんも、機会があれば、ぜひ聴きにいっていただきたい）。なにしろ、あの迫力満点の「龍虎図」を見て、「元祖カワイイ系だ！」などとのたまうのである。あのトークだけでも聞く価値がある。

彼女と何度かメールでやりとりしているうちに、新しい曲にも短歌をつけるよう促された。最初はためらったが、相手は、日本の等伯をアメリカ原産のジャズにしようというだいたんな試みを全力でやっているのだ。ここで、伝統文化を担う歌人が敬遠していて何になろう。そんな気持ちになって、思い切って冒険してみた。

等伯はかなしみの風　吹くたびにスイングをする松も余白も

「松林図屏風」坂井修一

仏頭のパンチパーマを遠巻きにふたこぶらくだのこぶが揺れてる　「仏涅槃図」同

こんな作品を作ってメールで送ったところ、早速コンサートで使っていただいた。さらに、先のCD「Art in Motion」のジャケットなどにも印刷されて世に出ることとなった。

一首目の「松林図屏風」は等伯のみならず日本の水墨画の最高傑作の一つと言われる国宝で、東京国立博物館蔵。風が吹いて松の木が揺れる図なのだが、淡彩のわりによく見るとなかなか複雑な絵だ。

（敢えて書かないことで、松林に吹く風や湿気、空気感を感じさせる）という等伯が晩年に辿り着いた、深淵な境地を、バラードで表現しました。

（CD「Art in Motion」守屋純子さんによる栞）

どうだろうか。この「敢えて書かないこと」とは、短歌の表現にも共通するものが大きいのではないか。そう。省略と象徴は、日本の芸術全般の共通の理念ともいえるが、はたしてこれを実践してものになった歌人が、過去にどれぐらいいたか。そして今、いるのだろうか。

演奏では、ソロをとったサックス奏者の近藤和彦さんが楽器を「吹く」たびに、松の木や周囲の空気とともに聴き手も揺さぶられる感覚になる――そんなふうに絵とジャズが交わっているさまを短歌の言葉で伝えようとした。「松林図屛風」の背後には離郷の悲しみにひたる等伯がいるが、それも芸術家の意地に変えてしまうサガのようなものも絵から感じられる。ジャズでは、これを音の揺らめきで表現するので、ちょっと面食らうところもあるが、解釈も表現も、そうとうに高度なものが感じられる作品に仕上げられている。

私の歌のほうは、ＣＤの下の松林図の中に埋め込まれていて、ディスクを取り出すたびに読まれるようになっている。等伯の芸術性の高さや守屋さんの音楽の力を思えば気恥ずかしくなってしまうが、ここまで来たらしかたない。非力はどうか許してほしい。
二首目の「仏頭のパンチパーマ」は、釈迦入滅の場面。本物は、京都の本法寺にある。

仏様が亡くなるという大きな悲しみの前では、身分の高い人間も低い人間も、動物でさえも、皆平等である、という壮大なテーマを、憂いを湛えたメロディーでゆったりとしたEven 8thのリズムで表現しました。

（CD「Art in Motion」栞）

私の短歌は、絵の中で右下隅にいるラクダの「こぶ」に焦点を絞った。この場面、悲しいことは悲しいが、絵の中では世界全体が不思議な調和感に包まれている感じがする。そうした釈迦入滅の絵がジャズの音の揺れになって再生されるさまを、口語で搦め手から詠ってみた次第。絵と音楽の交じり合いを前にして、短歌をどうおもしろくするか、なかなかに複雑でむずかしい課題だった。うまくいっているかどうかわからないが、こうした試みは、自分の歌の幅を広げるきっかけになっている。

＊

深くて暗い人間の情念。人さまざまではあるが、どれもが愚かで哀れな人生たち。これらをしっとりとまた軽妙に歌いあげるのに、ジャズはとても良い音楽ジャンルだと思う。

今回、ジャズと短歌の話をしようとして、結局、自分のことばかりになってしまった。私、本当に音楽はドのつく素人、モダンジャズとフリージャズの区別もつかない人間だ。ご容赦賜りたい。今度音楽の話題をとりあげるときは、クラシック好き、ロック好き、ジャズ好き、シャンソン好きの歌人たちのお話などしながら、彼らの作品をちょっぴり深読みしてみたいと思う。

第二八回　二十一世紀の死

今年は二〇二〇年。今、新人賞に応募したり第一歌集を出したりしているような若者たちは、〈核戦争がなければ〉だいたいが二十一世紀の終わり頃に死ぬことになるだろう。彼らは、〈死〉をどんなものと考えているのだろうか。

「お前はもう、死んでいる」とか言いながらあなたと食べる胡桃のゆべし
『感傷ストーブ』川島結佳子

〈孤独死でいいよ。もう寝る。〉ザル状の陽射し差し込むフローリングに
自らのまわりに円を描くごと死んだ魚は机を濡らす
仰向けの蟬の体をすり減らし扇を描くアパートのドア
『月を食う』佐佐木定綱

『北斗の拳』が「少年ジャンプ」に掲載されたのは、川島が生まれた頃だったと思う。

この劇画をリアルタイムで読んだのではなく、とうに若者の常識（?）となった合言葉を楽しんでいるふうだ。

「お前はもう、死んでいる」。これは、『北斗の拳』の主人公ケンシロウが、敵に致命傷を負わせたときに、相手にささやきかけるセリフ。このあと、「あべし」とか「たわば」とか断末魔の悲鳴をあげて、敵の体が破裂する。

川島の作中主人公は、恋人と「胡桃のゆべし」を食べるとき、ケンシロウを思い出して決めゼリフを口走っている。劇画が戯画になり、現実とつながる。〈死〉とはそんなものとして、彼女たち、彼たちに想起されるのであった。

二首目のセリフを言うのは、主人公か、それとも知人か。いずれにしても、作者は、この人と一体化し、「孤独死でいいよ。もう寝る。」という心理を過不足なく共有している。

この歌では、「ザル状の陽射し」がやはり独特だろう。世界から自分たちに降ってくるのは、包み込むようなあたたかい光ではない。網目の入った窓から入る、格子状の光なのである。

レーザーの殺人光線ではないだけ、まし、というべきか。ともかく、生と死の間の一線は、作者にとっては、それほどの重大事ではないようだ。いや、生そのものに、それほどの意味を見いだせないということか。
佐佐木の「死んだ魚」の歌。これは、すでに優れた鑑賞が示されている。

死んではじめて魚は机を濡らし、生きていた身体がそこに在ったことを生臭く示す。描かれた「円」は死の境界のようで、脅かされる生の時間からの解放のようでもあり、生者の側から眺める死の美しさなのかもしれない。

「食うということ」小島なお『月を食う』

身近すぎて見過ごされそうな場面なのだが、これをとらえた歌は、二十一世紀の存在論とでも言うべき、不思議な味わいがあるだろう。小島のいう「脅かされる生の時間からの解放」や「生者の側から眺める死の美しさ」について、私はただちに同意するものではないが、死体となることによって、なにごとか、訴えにならない訴えをしていることは理解できる。

最後の歌。アブラゼミかニイニイゼミか。仰向けになって死んでいるか、最期の時を過ごしている。その腹部をこするようにして、アパートのドアが開閉を繰り返す。

人間も含め、個としての生命体と世界の関係は、まさにこの蟬とドアの関係のようなもの。個はわけもわからず世界の一部となり、世界は彼（女）をわけもなく虐げる。やがて個は、例外なく世界によって幾度も擦過傷を負わされ、殺されてゆくのだ。

＊

かつて人生は、右肩あがりに発展してゆくものだった。学校を出て、就職をして、結婚して、子供を作って、子供を育てて、定年を迎えて悠々自適の生活をして、やがて老いて、子供たちに見守られながら死んでゆく。そんなモデルが当然のものとしてあった。

今は違う。人生は坂を上るようなものではないし、主人公を豊かにするものでもない。若く死んでも、老いて死んでも、優劣がどうか、運不運がどうかという見方で見られるものではない。

これらの歌を読むと、彼（女）らの人生にはそんなふうな前提があり、ごく若い時期から結論が見定められているように思われる。

ドラクエの村人のように黙り込む私　薄暗いベッドに座り

『感傷ストーブ』川島結佳子

うん。何も変わっていない私は悩む処女から悩む非処女へ
ケーキごと落としてつけた床の傷連れてゆけずにさする君の手
『月を食う』佐佐木定綱
2tロングトラックに詰め込めるらし人間ふたり生きる体積

こちらは、異性との間に起こった出来事。

川島のは、恋人とはじめて情を交わした場面。抱きあう前に自分に訪れた沈黙の時間を、「ドラクエの村人のよう」と感受する。こういうときでも、ゲームの場面が浮かんでくるのだ。そして、関係が成立した後も、自分に起きた変化について、「悩む処女から悩む非処女へ」ととても冷静な見方をしている。

この二首、ちょっと不謹慎な表現にも見えるが、本人はいたって正直で、あえて言えば真面目な感じがする。考え、行動し、感じ、反芻し、結論を出す。そこには、かつてのレディース・コミックのような過剰な思い入れは入ってこない。今を生きて恋をするとは、こういうことなのだと身をもって示しているようだ。

佐佐木のほうは、相手の女性と同棲していて、いっしょに引っ越すシーンのようだ。

「床の傷」は、どちらかの誕生日につけたものだろうか。食器ごとケーキを落とした、そのときのものだという。引っ越せば、この傷はもう見ることができない。あとからこの部屋に入る人にとっては、ありがたくない「傷」であっても、二人にとっては、大切な思い出のあかしなのである。

次の「2tロングトラック」。若い二人の荷物はたかだかこんなもの。これを「人間ふたり生きる体積」と総括してみせた。

格言に「立って半畳、寝て一畳、天下取っても二合半」という。贅沢を戒め、清貧を勧めた言葉だが、佐佐木の歌は、そんな高尚な思惟に基づくものではない。もっと即物的なのだ。

川島も、佐佐木も、何があっても普段着感覚で、余計な興奮をしない。でも、相手を思いやったり、自分を冷静に見つめたり、人間としての態度は（川島はちょっと変わっているが）しっかりしている。

＊

人生九十年時代とも、百年時代とも言われる。しかし、長寿が幸せなことかと言えば、今やいささかの留保がつくだろう。

二十一世紀になって貧富の差は開くばかりである。年金などの世代間格差もあって、将来に希望がもてる若者の数は減っているのではないか。さらに、地球温暖化や食糧危機、新型コロナウィルスによるパンデミック、国際政治の緊張など、良くないニュースが目白押しである。

しかし、それゆえに、バブル期の人々よりも、川島や佐佐木のほうが、まともな人間に見えることもある。ふつうの人が食えるか食えないかわからない世界だからこそ、人間のあさましさや優しさが見えてくる。そんなことがある。

二つの歌集を読んでいて、私は何度もこのことに思い至った。

脳味噌を絞りつくした果てで友わたしの長所を「真面目」と呟く
『感傷ストーブ』川島結佳子

「生きるって最高だよなくそったれ」地球に惹かれる体が吐いた
『月を食う』佐佐木定綱

歌集の末尾近くで、どちらの歌集でも、あられもない結論が出された。二人とも、しごくまじめで、感情ゆたかな、まっとうな人間なのであった。

その上で、二人の歌人はそれぞれ独自の見立てで世界を見つめ、結果として人間味あふれるユーモアをまとうこととなる。

この二人に代表される若い世代の歌人たちがこれからどういう人生を生き、どういう表現を手にし、そしてどういう死に真向かうのか。

幸か不幸か、私はそれを最後まで見届けることができない。だからといって、「勝手にどうぞ」という態度が取れるわけでもない——さあ、これから何が起こるのだろうか。

第二九回　アメリカ

アメリカ——十九世紀後半から、私たちはこの国の強い影響化にあり続けた。黒船、開国、不平等条約、咸臨丸、日露戦争講和（米国ポーツマスで行われた）、太平洋戦争、原爆、無条件降伏、進駐軍、安保、軍事基地、沖縄占領。言葉を並べるだけで、日本の近代史となってしまう。

特に太平洋戦争から今日に至る歴史は、多くの日本人の人生に巨大な影を落としているといえよう。

あなたは勝つものとおもつてゐましたかと老いたる妻のさびしげにいふ

『夏草』土岐善麿

第二次世界大戦の終結——日本は、アメリカを始めとする連合国が示したポツダム宣言を受け入れて無条件降伏をした。当時土岐善麿は六十歳。昭和一五年に朝日新聞社を退社してからは隠居の生活を送っていたという。

「あなたは勝つものとおもつてゐましたか」。物静かな妻のこの言葉は、なによりも深く作者の心に刺さったのだろう。土岐善麿は、ジャーナリストであり、知識人であり、歌人だった。そんな人間が、冷静な時局判断ができなかったのだろうか。できなかったとすれば、なぜなのだろうか。

土岐の場合が典型的なのだろうが、これは、とても多くの人の抱いた深刻な思いであり、深い心の傷だったのではないか。日本の平和が（曲がりなりにも）これ以後七十五年以上に渡って守られることになったのにはいくつかの理由があろうが、その一つにこの思いがあったのではないかと思う。

では、今現在はどうなっているか。

アメリカのトランプ政権の自国第一主義。これに呼応するように、世界各地で吹き荒れる移民排斥運動――そんな中で、日本は自民党の長期政権が続き、アメリカとの友好関係はますます強固なものとなり、憲法九条の改正が議論されている。

そう。太平洋戦争の終戦からこのかた、アメリカは日本の占領国であり、次に友好国として兄貴分となり、多くの場面で指導者であった。

強大にして如何ともなしがたきアメリカを好きといふものはいふ　『射禱』竹山　広

昭和二〇年八月、竹山広は、長崎でファットマンと呼ばれる原子爆弾によって被爆した。原爆を落としたのは、他でもないアメリカである。

戦後、価値観が一変した――間違っていたのは、日本の帝国主義である。豊かで開放的で、民主主義がゆきわたっていて、自由な国アメリカ。アメリカこそが正しい進歩的な国なのだ。

そんなことを皆が信じたわけでもないだろうが、基本はアメリカの言うことに従って、日本の指導者はこの国を再建してきたのであり、我々はその中で、自分たちの生活を営んできた。その結果、自動車や家電製品、野球やハリウッド映画など、アメリカ文明を象徴するものに囲まれて暮らすこととなった――ときには、そのお株を奪うようなこともやりながら。

竹山広の一首は、そういう日本の人々を皮肉ったものである（竹山は、短歌で皮肉を言うのがほんとうに上手だ）。

国土の広さ、人口の多さ、資源の量。これらに加えて技術力の高さと経済の豊かさ。どれをとってもアメリカは圧倒的である。これを、「強大にして如何ともなしがたき」と形容する。信じられないほどの力はあるが、品位などはカケラも無い。そういうニュアンスがこめられているのだろう。

「好きといふものはいふ」か。これは、一分でもアメリカの良さを認める人間を拒否した言い方だ。そして、竹山には、たしかにここまで言う理由がある。

＊

ここで、私自身の〈アメリカ〉についてお話ししたい。

昭和三三年生まれの私には、敗戦の記憶はない。もちろん、空襲の体験もないし、玉砕のニュースを聞いたこともない。戦死した家族もいない。

いっぽうで、私の生業である情報科学はアメリカに深い関係がある。世界初の実用コンピュータであるＥＮＩＡＣは戦時中にアメリカで創られた。戦後、科学技術の中心はアメリカであり、情報科学も例外ではなかった。ハイテク企業も、ＩＢＭ、インテル、マイクロソフト、アップル、Ｇｏｏｇｌｅ、Ｆａｃｅｂｏｏｋ、Ａｍａｚｏｎなど、すべてアメリカで創られ、ここに本社がある。

なにより、私自身の研究者としての仕事を最初に認めてくれたのが、マサチューセッツ工科大学（ＭＩＴ）であり、私はここに招聘されて、一年間、夢のような時間を過ごしたのだった。

永住権取得を説けるきんいろの口髭がちよつとみだれてゐるぞ　『群青層』坂井修一
ボストンの樅の祭礼　われにまた「日本をやめよ」の声ぞきこゆる

ＭＩＴの同僚や学生たちは、皆、私が〈留学〉で来ているとは思っていなかった。アメリカの大学やハイテク企業で研究者として一生暮らすものだと思っていた。

そのためには永住権を得る必要があり、やがて市民権を取らなければならない。ＭＩＴの教授たちの多くも、そうやって外国からやってきて、住みついた人がおおぜいいた。

ＭＩＴで働いてわかったことは、研究費や設備は日本の研究所と大差ないということだった——当時、日本はバブル期の終わり頃だったし、私自身、通産省（今の経産省）の研究所でとてもめぐまれた研究環境にあった。

しかし、研究者の待遇はまったく違っていた。とくに収入、行動の自由、研究支援体制、産業界との関係などは、桁違いだと言わなければならなかった。

私は、ボストン郊外のウォータータウンの三LDKに住み、平日は大学で研究をし、休日は広大なボストン美術館の部屋をめぐり、レキシントンやコンコードの史跡へ行って文人の旧宅を見るなどして過ごした。夕刻になると近くのプレイグラウンドで子供を遊ばせ、夜は、ボストンシンフォニーで小澤征爾指揮のメンデルスゾーンを聴くなどした。

中でも、ボストン美術館二階の印象派の部屋で過ごした時間は格別のものだった。前の壁には、モネの睡蓮とルノワールの「ブージヴァルのダンス」がかかり、後の壁には、ゴーギャンの大作「我々はどこから来たのか　我々は何者か　我々はどこへ行くのか」がかけられていた（今はこの絵は別の部屋にある）。この部屋にいると、世俗の些事をすっかり忘れることができたし、人間と人生の本質に直接触れている気分になることができた。

もう一つ、ボストン美術館の日本コレクションはすばらしかった。尾形光琳、狩野永徳、円山応挙、長谷川等伯。彼らの絵は言うまでもない。それに、仏像がずらりと並ぶ静かな部屋も良かった。

小澤征爾と美術品は、ボストンの人々に日本に対する尊敬の念を呼び起こしていたようだ。スーパーマーケットなどでは日本人という理由で嫌な目に合うこともあったが、近しい人々の間では、日本の印象は悪くなかったと思う。

「坂井はアメリカ人になるのではないか？」

後で聞いた話では、日本の同僚・友人たちは、本気でそう思っていたそうだ。でも、そうはならなかった。これは、短歌があるからということもあったが、むしろアメリカの乾いた風土が自分に合わなかったというのが大きかった。

米国の友人たちは、店じまいをして日本に帰る私を、驚きの目で見ていた。もったいない、何で日本のような遅れた国に戻らなければならないのだ――そんなふうに思っていたようだし、じっさいそう言われもした。

＊

土岐善麿のアメリカ。竹山広のアメリカ。私のアメリカ。どれも同じアメリカである。でも、この国の印象は人によって全然違うようだ。

アメリカは、自由の国である。自己主張が強く、議論が好きだが、相手の良いところを認め合い、上手に社会を作り上げている。フロンティア・スピリットが賞賛され、二度や三度の失敗で人生を失うことはない。

同時に、他国に対しては経済力・軍事力を背景に圧迫してくる。国内・国外でダブルスタンダードとなることも多い。

これは私の感想だが、我々はアメリカをもっと冷静に相対化してつきあう必要がある。安保条約や経済力の差からくる不平等感は今でもぬぐえないが、人間性のありかたの点で、彼我の良し悪しを淡々と見つめて、そっと歌に残しておくなど、大切なことだろう。

第三〇回　日本

今回で最終回。そこで、ということでもないが、短歌の母国である「日本」について、現代短歌の作品とともに観察してみたい。

といっても、二十一世紀の今日、日本に固有のものは少なくなっている。老いも若きも、iPhoneの画面にタッチしながらジーンズ姿で街を歩いているし、その街にはセブンイレブンやマクドナルドが並ぶ。通りには、トヨタやホンダの車が走り、映画館ではスター・ウォーズやアベンジャーズが上映されている。

これは世界中で同じだ（トヨタやホンダもそうなのだ）。ついでに言えば、経済格差が年々広がっているのも世界中どこでもそうだ。近いところでは、新型コロナ・ウィルスも地球上に例外なく撒き散らされて害悪をなしている。

ここが日本だとわかるのは、視覚的にも聴覚的にも、「日本語」によるところが大きい。街の看板、道標、駅のアナウンス、人々の会話、テレビの音声など。

けれども、道標やアナウンスは、英語が入るのが当たり前になっているし、ところによっては中国語や韓国語の表示もある（東京・大阪の地下鉄など）。

私の職場の大学の場合、留学生の数は、平成五年で千六百七十二名だったのが、令和二年は四千五百十二名。二十七年で、二・七倍に増えた。教室の中で四カ国語が飛び交うなど当たり前になっているし、この傾向は加速しつつある。

日本というのは、国境の内外を示す言葉でしかなく、日本人は国籍のありかを示す言葉でしかなくなっていくのだろうか。そんな国のローカルな言葉である日本語で創られる「短歌」には、これからどんな未来が待っているのだろうか。

＊

たとえば、美術館か博物館の入口に、パソコン鞄が一つ落ちていたとしよう。日本であれば、係員は、おそらくこれを遺失物として処理するのではないか。館内に保管する場所があれば、鞄を一時的に預かり、期限が来たら警察に届けるなどするだろう。

これが、イスラエルのテルアビブやエルサレムの街ならどうか。

鞄を見つけた人が警察に連絡する。警察が道を通行止めにして、バリケードで鞄を取り囲む。特殊部隊がやってきて、鞄を爆破するんだ。

山井教雄『続まんがパレスチナ問題』

持ち主のわからない鞄はテロの道具であり、中には時限爆弾が入っているとみなされるのだ。

イスラエルだけではない。時と場所にもよるのだろうが、ニューヨーク、パリ、ロンドンといった都市でも、今はほぼ同様のことがあるのではないかと思う。爆破とまでいかなくても、爆発物探知機をもってきて検査するぐらいのことはするのではないか。

今のところまだ、日本は平和な国である。街で銃撃戦が起こることはまずないし、自爆テロもない。オウムの事件が近年ではほとんど唯一の例外だった。

而《しか》して再《ま》た日本のほろぶるを視む　曼珠沙華畷の火の手　『献身』塚本邦雄

核を積み日本に向けた弾道弾何基保有すロシア中国　『アルゴンキン』小野雅敏

晩年のモネは「日本の橋」描きたり流されさうな九月のこの国　『ランプの精』栗木京子

日本の中でたのしく暮らす　道ばたでぐちゃぐちゃの雪に手をさし入れる

『日本の中でたのしく暮らす』永井　祐

この四人の作者の生まれたのは、順番に大正後期、第二次大戦直前、昭和半ば、昭和末期である。生年の分布は六十年に及ぶが、全員が日本の繁栄・安定・平和がそろそろ終わりつつあるという認識を共有しているように読める。

年長の塚本や小野は、平和の危機を緊張感をもって正面から見つめている。栗木は、どこか他人事めかしながら、静かに、しかししっかりと自分流に確認しようとしているようだ。永井の場合は、日本の衰退や不安定化は当然として、そうした境界条件の中で最善を尽くす生き方を、肩の力を抜いて、考えないように考えているようである。

平成が令和に変わって、これから何が起こるのか。日本はどうなる？　短歌はどうなる？　令和元年は、そんなことをマスコミや知り合いからよく尋ねられた。

これについての私のスタンスはわりあいに単純だ。

1　中国のGDPは、この三十年で日本の八倍程度になる（ゴールドマンサックス社・P

wC社などの予測）。経済の総力戦では、日本は太刀打ちできない。

2　日本を支える特徴ある産業が必要になる。これは、「情報」「バイオ」「エネルギー」などを核にしたものだろう。

3　2が順調にいったとしても、日本は、産業（経済）だけでは国として生き残れない。世界から信頼と尊敬を勝ち得ることが必要だ。

4　3のためには、優れた文化が必要。それも固有の伝統文化に根ざしたものであることが重要ではないか。

4で、「だから短歌を盛んにする必要がある」とまで言うつもりは、私にはない。短歌の伝統——繊細な季節感、人生の無常、自然への心の投影などは、たしかに新しい時代にも貴重なものだ。こうしたものから立ち上がる精神の運動は、二十一世紀の世界にとって、とても大切だというのもおそらく正しい。しかし、新しい時代の精神や情念が五七五七七の五句三十一音で表現されなければならないかというと、そんなことは無いと思う。短歌というジャンルが、今のままで世界に通用するわけではないことも、じゅうじゅう承知しているつもりだ。

＊

人類は、狩猟採集社会、農耕社会、工業化社会、情報化社会を経て、今まさに、第五段階の社会を迎えつつある。これが、〈超スマート社会〉だ。

超スマート社会は、インターネットの中の空間、つまりサイバー空間と現実の空間が融合したものとなる。そこでは、車の自動運転や遠隔医療、介護ロボット、環境負荷の小さな電力ネットワークなどが実現するだろう。

サイバー空間が生活の大きな部分を占める時代。そういう時代だからこそ重要になるのが、人間性の尊重や人間社会の安定化だろうと私は思っている。

今のSNSよりも誠実で深い人間関係を構築するためのコミュニケーション・ツール。社会を安定・高信頼なものにする新しい取引システム。行政や裁判の公正・公平を担保する支援システム。そうした高度に知的であり、同時に人々が良心的であることを促すような情報技術が必要になってくる。

坂井修一「読売新聞」（令元・6・1夕刊）

どうしたら、こういうシステムが実現できるのだろうか。これは、人間が生きる基盤であり、ふだん極小の世界で蠢いている〈歌人〉も考えなければならないことではないか。いや、歌人だからこそそのチャンスがあるのではないか、と私は思っている。

日本文化の底流をなしてきた和歌の文化は、令和の時代をしぶとく生きながらえ、新しい情報社会の価値観を発信するのではないかと私は期待している。有史以来、人々は世界を内と外にわけ、内部の者が外部から搾取することをくりかえしてきた。奴隷制度。植民地。人種差別。自然破壊。経済格差。どれもそうだ。山川草木に心を投影し、感傷的ともいわれる和歌の精神は、こうした差別や格差を緩和する優しさを持つ。この時代に甘いと言われるかもしれないが、内と外の境界を見つめ直す何かを持たなければ、私たちの未来は暗い。（同）

境界を見つめ直し、これを無化する何かをもつこと。短歌そのものというよりは、日本文化のもつ融和性のようなものがいくばくかこの役割を果たすのではないか。そんな気持ちをこめて、私はこの文章を書いた。
もちろん、社会実装まで考えた実効的ななにかが歌人によってもたらされるわけではない。われわれができるのは、一人一人の心に小さな影を作ることだろう。それも、短歌の世界の一握りの人にしかもたらされないことかもしれない。

私は今、生業で超スマート社会を支えるコンピュータ技術の研究開発に関する総括の役割を負っているが、こういう場面などでも、短歌（を含む日本文化）が新しい役割を果たすことを、ひそかに願っている。

あとがき

この本は、「歌壇」二〇一八年四月号から二〇二〇年九月号まで連載した「蘇る短歌――大好きなうた、ちょっと苦手なうた」をまとめて一巻としたものである。私の好きな短歌とちょっと苦手な短歌を、私たちの社会や生活を関わらせながら、身近なところで語ってみたい。そんな素朴な気持ちで綴ったエッセイ集である。

歌は主に近現代のものを扱ったが、中には橘曙覧のように近世の人のものもある。在原業平のように中古まで遡るものもある。そういう場合でも、私たちの感覚でとらえられる作品・著作などをあげることにした。

今という時代は、たいへんせわしない。経済の進む速度、情報の流通量、仕事の量や質。どれも二十世紀とは比較にならないものとなった。この本も、それを自然に反映したものになっているだろう。

連載中は、各回掲載時にご意見やご注意をいただいたことが何度かある。中には短歌の鑑賞や評価に関わる深いご意見がいくつもあった。これらについては、場を改めてお答えしたり、論じてみたりしたい。もし改版などあれば、その結果を反映させたいと考えている。

二〇二一年四月九日

坂井修一

著者略歴

坂井修一（さかい しゅういち）

1958年11月1日　愛媛県松山市生。1978年「かりん」入会と同時に作歌開始。歌集『ラビュリントスの日々』（現代歌人協会賞）、『ジャックの種子』（寺山修司短歌賞）、『アメリカ』（若山牧水賞）、『望楼の春』（迢空賞）、『亀のピカソ』（小野市詩歌文学賞）等。評論集『斎藤茂吉から塚本邦雄へ』（日本歌人クラブ評論賞）等。その他、『鑑賞・現代短歌　塚本邦雄』、『ここからはじめる短歌入門』等。現在、「かりん」編集人。現代歌人協会副理事長。日本文藝家協会理事。

東大卒（1981）。東大大学院博士課程修了、工学博士（1986）。現在、東大副学長・附属図書館長・情報理工学系研究科教授。著書『論理回路入門』、『コンピュータアーキテクチャ』、『実践コンピュータアーキテクチャ』、『知っておきたい情報社会の安全知識』、『ITが守る、ITを守る』等。情報処理学会フェロー。電子情報通信学会フェロー。

蘇《よみがえ》る短歌《たんか》――大好《だいす》きなうた、ちょっと苦手《にがて》なうた

2021年8月10日　第1刷

著　者　坂井　修一

発行者　奥田　洋子

発行所　本阿弥《ほんあみ》書店

東京都千代田区神田猿楽町2-1-8　三恵ビル　〒101-0064
電話　03-3294-7068（代）　振替　00100-5-164430

印刷・製本　三和印刷（株）
定価はカバーに表示してあります。

ISBN 978-4-7768-1561-7（3277）　C0092　Printed in Japan
©Sakai Shuichi 2021